五体不満足

おとたけひろただ
乙武洋匡

講談社

『五体不満足』は、子どもたちにもぜひ読んでほしいと思っています。

そのため、おおよそ小学校4年生以上で習う漢字には、読みがなをつけました。

五体不満足
_ご_{たい}_ふ_{まんぞく}

まえがき

昭和51年4月6日。満開の桜に、やわらかな陽射し。やさしい1日だった。

「オギャー、オギャー」

火が付いたかのような泣き声とともに、ひとりの赤ん坊が生まれた。元気な男の子だ。

平凡な夫婦の、平凡な出産。ただひとつ、その男の子に手と足がないということ以外は。

先天性四肢切断。分かりやすく言えば、「あなたには生まれつき手と足がありません」という障害だ。

出産時のトラブルでも、その当時、騒がれていたサリドマイド薬害の影響でもない。原因は、いまだに分かっていない。とにかくボクは、超個性的な姿で誕生し、周囲を驚かせた。生まれてきただけでビックリされるなんて、桃太郎とボクくらいのものだろう。

本来ならば、出産後に感動の「母子ご対面」となる。しかし、出産直後の母親に知らせるのはショックが大きすぎるという配慮から、「黄疸（皮膚が異常に黄色くなってしまう

3

症状）が激しい」という理由で、母とボクは1ヵ月間も会うことが許されなかった。それにしても、母はなんとのんびりした人なのだろう。黄疸が激しいという理由だけで、自分の子どもに1ヵ月間も会えないなどという話があるだろうか。しかも、まだ見ぬ我が子だ。「あら、そうなの」となんの疑いも持たずにいた母は、ある意味「超人」だと思う。

対面の日が来た。病院に向かう途中、息子に会えなかったのは黄疸が理由ではないことが告げられた。やはり、母は動揺を隠せない。結局、手も足もないということとまでは話すことができず、身体に少し異常があるということだけに留められた。あとは、実際に子どもに会って、事態を把握してもらおうというわけだ。

病院でも、それなりの準備がされていた。血の気が引いて、その場で卒倒してしまうかもしれないと、空きベッドがひとつ用意されていた。父や病院、そして母の緊張は高まっていく。

「その瞬間」は、意外な形で迎えられた。「かわいい」――母の口をついて出てきた言葉は、そこに居合わせた人々の予期に反するものだった。泣き出し、取り乱してしまうかもしれない。気を失い、倒れ込んでしまうかもしれない。そういった心配は、すべて杞憂に終わった。自分のお腹を痛めて産んだ子どもに、1ヵ月間も会えなかったのだ。手足がないことへの驚きよりも、やっと我が子に会うことができた喜びが上回ったのだろう。

この「母子初対面」の成功は、傍から見る以上に意味のあるものだったと思う。人と出会った時の第一印象というのは、なかなか消えないものだ。まして、それが「親と子の」初対面となれば、その重要性は計り知れないだろう。

母が、ボクに対して初めて抱いた感情は、「驚き」「悲しみ」ではなく、「喜び」だった。

生後1ヵ月、ようやくボクは「誕生」した。

五体不満足

目次

まえがき　2

第1部　幼児期・小学校時代　車椅子の王様　9

威張りん坊　10

重い扉　18

高木先生　24

オトちゃんルール　32

好きな授業は体育　39

おにぎりの味　47

背中のVサイン　54

OTOHIRO印刷　63

早朝特訓とミノル　69

漢字チャンピオン　77

スーパービート板　82

障害者は救世主　90

第2部　中学・高校・予備校時代　全力疾走（ぜんりょくしっそう）

ドリブルの名手⁉　98

お祭り男　108

ヤッちゃん　118

後輩（こうはい）からのラブレター　127

受験狂騒曲（じゅけんきょうそうきょく）　133

25人の勇士（ゆうし）　141

生命（いのち）の水　149

数学は7点……　157

将来（しょうらい）の夢（ゆめ）　162

浪人（ろうにん）ノススメ　169

奇跡（きせき）　175

97

第3部　早稲田大学時代　心のバリアフリー

衝撃デビュー　186

宝の持ちぐされ　194

早稲田のまちづくり　201

エコ・サマー・フェスティバル　210

「いいんだよ」　216

21世紀へ　224

アメリカ旅行記　234

大雪の日に　242

父のこと、母のこと　252

心のバリアフリー　258

あとがき　268

第1部

幼児期・小学校時代

車椅子の王様

威張りん坊

ナポレオン

　3人の新しい生活が、千葉県に程近い江戸川区・葛西という地で始まった。新たに引っ越してきたこの地では、知らない人ばかり。障害を持った子どもの親は、その子を家に閉じ込め、その存在すら隠してしまうということもあるそうだが、ボクの両親は、決してそんなことはしなかった。近所の人にボクの存在を知ってもらおうと、いつでもボクを連れて歩いてくれた。今でこそ十数センチの手足があるが、当時は胴体にジャガイモがコロンとくっついているようで、たちまち近所の人気者となった。まあ、人間を誉める言葉に「お人形さんみたいで、かわいい」というのはあまり聞いたことがないけれど……。

　も、「ぬいぐるみみたいで、かわいい」というのはあって、赤ん坊ながら、問題児ぶりは、すでにこの頃から発揮していた。とにかく眠らない。夜

泣きが激しく、たいして昼寝もしていないのに、夜通し泣き続けていたそうだ。1日中、子守で疲れ果てた母にとっては、ノイローゼになりかねないほどだったというから、その激しさが分かる。1日に3〜4時間の睡眠で軍務をこなしていたと言われる英雄にちなみ「ナポレオン」とのニックネームが付いたほどだ。

加えて、ミルクを飲む量も極端に少なかった。当時、母が読んだ育児書によると、その時期に飲まなければならない量の約半分。いくらなんでも少なすぎる。さすがに心配した両親は病院に行き、相談などもしてみたが、ミルクを飲む量はいっこうに変わらない。

ここまで来ると諦めの境地か、両親も考え方を改めた。

「この子は、生まれてきた時から個性的だったんだ。ミルクの量や睡眠時間だって、人と違ってあたりまえ。他の子とは比べないようにしよう」

うーん、お見事。こうして、睡眠時間やミルクの量は少なかったものの、ボクは病気ひとつせずにスクスクと育っていった。

生後9ヵ月、初めての言葉を発する。それまで、わけの分からない赤ちゃん言葉しか話せなかったボクが突然、「ハッパッ、ハッパパパ、パパ、パパ」と口にした。生まれて初めての言葉が「ママ」でなく「パパ」だったことに、母は多少ひがみもしたようだが、単に言いやすかったのだと自分に言い聞かせていたという。そして、両親は言葉を話せる

人間となったボクを心から祝福してくれた。

これ以降、ボクは堰を切ったように言葉を話し始めたという。父も、そんなボクがおもしろかったらしく、四角い木に絵が描いてある積み木を買ってきて「レッスン」を開始した。洗濯機の絵が描いてある積み木をボクに見せて、

「これは何だ?」

「ジャブジャブ（洗濯機）」

「これは?」

「パパメガ（パパのメガネ）」

「じゃあ、これは?」

「ちんぶん（新聞）」

といった具合だ。父が会社から帰ってくると、その授業は毎晩、繰り返された。

母は母で、新聞に載っていた「子どもに本を読んであげないということは、子どもの脳の前頭葉（思考・判断などが営まれる部分）を切り取る手術をしているのと同じことだ」という文章に刺激され、暇さえあればボクに本を読んでくれていた。ふたりとも、かなりの教育パパ、教育ママだったと言える。

「この子は一生、寝たきりかもしれない」と覚悟してから1年あまり。彼らの、いや、ボクらの生活は希望に満ちていた。

質問攻め

4歳になると同時に、世田谷区にある聖母幼稚園に入園した。とくに障害者だけが通う幼稚園ではなかった。

葛西から世田谷区・用賀に転居。幼稚園まで、車で10分ほどのところだ。ボクの記憶があるのはこの頃からなので、「故郷は？」と言われれば、この用賀ということになる。一家にとって急激な環境の変化だが、ここでは、どんな生活が始まるのだろう。

この幼稚園の保育方針は、基本的に子どもの個性を尊重すること。だから、全員揃って、「次は何をしましょう。その次は何をしましょう」ということがなかった。個人個人がルールのなかで好きなことをして過ごすのだ。全員が同じことをするなかでは、どうしてもできない部分がでてきてしまうボク。この幼稚園の考え方は、ピッタリだった。

友達もすぐにできた。ボクと友達をつないでくれたのは、ないはずの「手足」。まず、子どもたちの注目は、「電動車椅子」と呼ばれる変テコなマシーンに集まる。よーく見て

みると、そのマシーンに乗っているヤツには手も足もない！　みんな、不思議で仕方がなかったようだ。ボクの姿を見つけると、みんなはアリのように群がってきた。手や足に触ってみたり、「どうして、どうして？」を連発。そんな時、ボクは「ママのお腹のなかにいた時に病気になって、それでボクの手と足ができなかったんだ」と説明していた。すると、子どもたちは「フーン」と納得して、それ以降はなかのよい遊び友達となってしまうのだった。

そうは言っても、さすがにボクも疲れてきた。クラスの友達から始まって、他のクラスの子どもたちまで説明が行き届くまでの1〜2ヵ月間。毎日が質問攻めだった。家に帰って、「ボク、もう疲れちゃったよ」と初めて泣き言を言った日のことを、母は印象深く覚えているという。先生方も、そんなボクの様子を見て、「幼稚園から帰って、熱が出たり、お腹が痛くなったりすることはありませんか？」と心配してくれていた。そんな親や先生方の心配をよそに、ボクは必要以上に「たくましく」育っていくのだった……。

ワガママ

人よりも短い手足と車椅子のおかげで、友達の数では誰にも負けなかった。自然と、常に友達の輪の中心に位置するようになっていく。そして、ひとりっ子特有の「ワガママ」

が徐々に顔をのぞかせ始めるのだった。

まだまだ幼稚園くらいの幼い時期では、誕生日が数ヵ月違っただけでも成長の度合い
に大きな開きがある。4月6日生まれのボクは、学年のなかで最も「お兄さん」。リーダ
ー格と言えば聞こえはいいが、ただの威張りん坊だった。

園庭で、みんなが鬼ごっこをしている。電動車椅子に乗っていても、みんなの走るス
ピードには追いつかないボクにとって、鬼ごっこは最もつまらない遊びのひとつだ。そこ
へ車椅子で進み出て、「砂場で一緒に遊びたいヤツはついてこい」と叫ぶ。すると不思議
なことに、今まで楽しく鬼ごっこをしていた子どもたちが、ゾロゾロと車椅子の後につい
て、砂場へと向かっていくのだ。

しかし、砂場に行っても、手のないボクは自分で砂遊びをすることはできない。そこ
で、「お城を作れ」などと指示を出す。もしも誰かが、「トンネルを掘りたい」などと言っ
たら、たいへんだ。「今日はお城を作るって言っただろう。それがイヤなら、オマエひと
り、あっちで遊んでろ」当時から口達者だったボクに何かを言われると、みんなは言い返
すことができなかったようだ。

これだけワガママ放題でも、友達が減っていくことはなかった。「オトちゃんに気に入
られていれば、仲間外れにされることはない」と、みんなが思っていたようだ。このこと

も、ボクのワガママぶりを助長させた。ガキ大将の典型だ。次第に、親や先生にも生意気な態度を取るようになっていった。

この時期、両親はかなり頭を痛めたそうだが、この問題は、ある転機によって解決していった。幼稚園での最高学年である「年長組」になってから、完全に、とまではいかなかったが、それまでのワガママさが影を潜めていったのだ。

学芸会、ボクらの出し物は「ぐるんぱの幼稚園」。そのなかで「ジジ」という役があった。役どころは自動車修理工。さして嫌われるような役でもなさそうだが、幼稚園児とは単純なものだ。「ジジ」という名前がおじいさんみたいでイヤだと、誰もやりたがらなかったのだ。

その時に、サッと手を挙げたのが、最もなかのよかったシンゴ。「じゃ、俺がやるよ」の一言が、えらくカッコよく聞こえた。シンゴに比べて、自分がとても情けなく思えたのを今でも覚えている。ボクは、シンゴに負けじと、「ジジ」の次に敬遠されていたナレーターに立候補した。幼稚園児ながら、男としての株を上げようと必死だったのだろう。見栄っ張りなところは、どうやらこの頃から変わっていないらしい。

ナレーターは声だけの出演、つまり裏方を担当した。ボクのナレーションは大好評だった。お母さんたちから「将来はアナウンサーになったら！」との声が上がったほど。

元来が目立ちたがり屋で、常に輪の中心にいたボクにとって、ナレーターが評価を受ける
など、夢にも思っていなかった。そこで初めて、物事は裏方も含め、すべての人々の協
力によって成り立っていることを、子ども心になんとなく学んだ。それまで自己中心的
な考え方しか持てなかった幼稚園児が、「ちょっと」大人になった出来事だった。

それ以来、みんなで遊ぶことの楽しさを知り、クラスの友達とは誰とでもなかよくなっ
た。卒園間近の頃には、毎日のように誰かの家に遊びに行っていた。

こうして、持ち前の見栄っ張りのおかげで、ボクの幼稚園時代における大きな問題のひ
とつが解決した。しかし、これ以上にやっかいな問題がボクを待っていたのだった。

重い扉

門前払い

親というのは、子どもが学校生活という新しい環境に入ろうとする時、不安と希望の入り交じった複雑な心境になるものなのだろう。しかし、障害を持った子どもの親は、希望より不安の比重の方が大きいのかもしれない。まず、「受け入れ先があるかどうか」という関門にぶつからなくてはならないのだ。

ボクにも、その問題は付いてまわった。とくに、両親は小学校への壁が最も厚いものと感じたようだ。義務教育を受けるために、こんなに苦労をするとは、夢にも思わなかっただろう。

当時は、「障害児＝養護学校」という流れが、あたりまえのものだった。だが、養護学校とは、「普通教育とは異なる教育を必要とする子どもたちが行く学校」だ。そこで、両

親は疑問を持った。果たして、この子が普通教育を受けるのは不可能なことなのだろうか。幼稚園でリーダーを気取り、周囲を仕切っていたこの子に、特別な教育が必要なのだろうか。そして、その想いは「普通教育を受けさせてやりたい」という願いに変わっていった。

しかし、その願いは、簡単に叶えられることはなかった。まず、公立の学校が障害児を受け入れるのはむずかしいだろうとの考えから、私立の小学校に的を絞った。私立の方が障害者に対する理解があるとの情報もあった。しかし、結果は全滅。何校か当たってみたが、試験すら受けさせてもらうことができなかった。言ってみれば「門前払い」だ。

そこで、両親はなかば諦めたという。やはり、この子に普通教育は無理なのだろうかと。そこに、一通のハガキが届き、状況は一変する。「就学時検診のお知らせ」だ。就学時検診とは、来春から小学校に入学する子どもたちの健康診断のようなもの。そのお知らせが、乙武家にも届いた。

これには驚いた。入学は無理と、最初から諦めていた公立小学校からの案内だ。もしかしたら受け入れてもらえるのではと、期待に胸をふくらませダイヤルを回す。やはり、学校側はボクが重度の障害者であることを知らなかったようだ。事情を話すと、いささか動揺はしていたが、「とにかく、いらしてみてください」とのこと。そこで、母に連れら

れ学校に向かった。これが「用賀小学校」との出会いだ。

就学時検診は、動物園に近い状態だった。元気いっぱいの幼稚園児たちが、所せまし
と駆け回る。慣れない環境のためか、悲鳴に近い声で泣き叫ぶ子もいた。そんななか、
ボクは行儀よくひとつひとつの検査をまわり、担当していた先生方からは、お褒めの言葉
までもらったそうだ。母は、このなかでも行儀がよいと褒められたのだから、きっと学校
生活もやっていけるだろうと自信を深めたという。

すべての検査を終え、校長室へ。母の緊張はたいへんなものだっただろう。当時のボ
クに、細かい状況まで把握するほどの理解力はなかったが、これから何かが始まるんだ
という緊迫感は十分に伝わってきた。

校長先生の第一印象は「優しそう」だった。母と話をしながらも、ボクが退屈してい
ないかを気遣ってか、時々こちらを向いてはニコリと微笑んでくれる。どれくらい経って
からだろうか、校長先生は細い目をいっそう細くして、ボクに質問をした。

「嫌いな食べ物はあるかい?」

「うーん……。パン!」

当時、あのモソモソする感じが駄目で、どうもパンが苦手だった。

「そうかぁ、パンが嫌いじゃ、給食は困っちゃうぞ。給食では、ほとんど毎日がパンだ

からね」

それまで緊張でこわばっていた母の表情が、みるみる明るくなっていく。事実上の○（オー）

Kサイン。家に帰り、母は喜んで父に報告した。

「あなた、この子も普通教育を受けられそうよ」

天国から地獄へ

ボクらの喜びは、そう長くは続かなかった。校長先生は、「うち（用賀小）の学区域に住んでるのだったら」と、寛大な回答を寄せてくれたらしいのだが、それに「待った」がかかったのだ。その声の主は教育委員会。理由は、これだけ重度の障害者が、普通教育を受けるというのは「過去に前例がない」。

普通教育への道が白紙に戻り、乙武家は、しばし呆然とした。給食の話まで出たのだ。てっきり、入学できるものと信じ込んでいた。それだけに、ショックも大きかった。しかし、ここからが両親のスゴイところ。いつまでも落ち込んでなどいない。どうすれば認めてもらえるのか、といった行動にすばやく移るのだった。

とにかく、教育委員会と協議を重ねる他ない。おそらく、「待った」のいちばんの理由は、ボクを知らないことからくる不安だろう。無理もない。十数センチしか手のない人間

がまわりと遜色のない字を書けるなんて、誰が想像するだろうか。その不安要素さえ取り除いてしまえば、許可は下りるだろう。それが両親の考えだった。

「このような時には、どうなさるのですか？」

そうした質問が絶えなかった。母は実際にボクを連れ、

「この子は、こういうことはできるんです」

と息子の身をもって答えを示した。ボクも、得意気にやって見せたのを覚えている。ほっぺたと短い腕の間に鉛筆を挟み、字を書くこと。皿の縁からスプーンやフォークを差し込み、てこの原理のようにして、ものを食べること。ハサミの一方を口でくわえ、もう一方を手で押さえながら、顔を動かして紙を切ること。ふだんはL字形になっている体のまま短い足を交互に動かし、自分で歩くこと。

何をしても、相手はハッと息をのんでいた。「キツネにつままれた」という表現の方があっているのかもしれない。何しろ、手も足もない人間が、目の前で次々といろいろなことをやってのけてしまうのだから。

こうして、両親の熱意とボクの地力で「入学許可」をもらうことができた。しかし、それには条件があった。子どもは、朝になると「行ってきます」と元気よく家を飛び出し、学校で勉強をしたり友達と遊んでから、夕方になって「ただいま」と帰ってくる。こ

れが通常の小学生の1日だ。

それが、ボクの場合は違った。朝、家を出る時から保護者が付き添い、授業中や休み時間も保護者は廊下で待機。そして、また家まで一緒に帰らなければならない。これが条件だった。保護者、つまり両親のことを考えれば、計り知れない負担だったが、彼らは「あなたが普通教育を受けられるのなら」と、その条件付き許可を心から喜んでくれた。

校長先生を始めとする多くの人々の善意により、ボクの道は開けた。ボクが恩返しできる、たったひとつの方法。それは「学校生活を楽しむ」ことだった。

高木先生

手伝ってはダメ

入学式の写真を見ると、苦笑せずにはいられない。ボクの隣に写っている女の子が、これ以上は無理というほど大きく体をのけぞらせている。顔がひきつっているのも、よく分かる。その隣で、満面の笑顔で写っているボク。この写真がすべてを物語っている。学校になじめるだろうかなどと心配されていた張本人は、なんの屈託もない笑顔。驚きや戸惑いを感じていたのは、むしろまわりの人々だったようだ。

そのなかでも、とくに悩んだのは、1年生から4年生までを受け持ってくれた恩師・高木先生だろう。高木先生は、他の先生方から「おじいちゃん先生」というあだ名が付くほど、経験豊富なベテラン先生。ボクの入学が決まった時に、真っ先に「私が受け持ちます」と名乗り出てくれたそうだ。しかし、いくら経験が豊富といっても、ボクのように手

も足もない子どもを受け持ったことはない。何をするにも「初めて」ばかり。まず、先生を悩ませたのは、他の子どもたちの反応だった。

「どうして、手がないの?」

「何で、そんな車に乗っているの?」

ビクビクしながらも、手や足を触りにくる子もいた。先生はどう対応していいか分からず冷や汗をかいたそうだが、こっちは慣れたもの。友達になるまでの「通過点」くらいにしか思っていない。「お母さんのお腹のなかでね」と、いつもの説明を繰り返していた。

こうして、まわりの子どもたちの疑問は解けていき、クラスにはボクの手足のことを聞いてくる子はいなくなった。先生もホッと一息といったところだったが、このことによって別の問題が起こる。

高木先生は、とても厳しい先生だった。自分のクラスに障害を持った子がいれば、「あれもしてあげよう、これもしてあげよう」となってしまいがちだが、それではボクのためにならないと、先生はその気持ちをグッと抑え、あえて何も手出しをしなかった。それが、子どもたちのなかでボクへの恐怖心がなくなると、今度はボクの手伝いをしたがる子が増えてきたのだ。とくに、お姉さん気取りからか、女の子にその傾向が強かった。

先生は悩んだ。みんなが手伝ってあげるということは、乙武への理解と同時に、クラス

内に助け合いの気持ちが芽生えているという喜ばしいことだ。それを無理にやめさせてしまうことには、やはり抵抗がある。しかし、このまままわりの友達が何でも乙武のことを手助けしていたら、「待っていれば、誰かがしてくれる」という甘えた気持ちが育ってしまうに違いない。

そんな葛藤の末に出した結論は、「乙武くんには、自分でできることは自分でさせましょう。その代わり、どうしてもひとりでできないことは、みんなで手伝ってあげてね」というものだった。みんなは、それを聞くとガッカリしていたようだったが、そこは小学校1年生。「はーい」と、素直に言うことを聞き、それからはボクの手伝いを積極的にする子はいなくなった。

それから数日後、またしても先生を悩ませる事件が持ちあがった。各自のロッカーが教室の後ろに設置されていて、そのなかに定規やおはじきの入った「算数セット」や、のりやハサミなどが入っている「道具箱」をしまっておく。そして、授業中にそれらが必要になると、随時、取りにいくことになっていた。

だが、ボクの作業は極度に遅い。先生の指示で、みんながいっせいに取りにいくのだが、ボクは人数が減るまで待ってから取りにいく。みんなの膝より下の位置でしか歩くことのできないボクにとって、人込みのなかに身を投じるのは自殺行為に近い。そこで、ま

ず出足が遅れる。さらに、道具箱のフタを開け中身を取り出し、またフタを閉めて戻って

くるという作業は、当時のボクにとって、かなりの時間を要することだった。

その日も、ボクは道具箱相手に悪戦苦闘していた。ふだんならば、作業の早い子が「や

ってあげるよ」と、ボクの席まで持っていってくれるのだが、数日前に先生から注意を受

けたばかり。みんな、気になってはいたようだが、手伝ってくれる子はいなかった。そし

て、授業が再開された。

「グスン、グスン」とうとう、ボクは泣き出してしまった。学校で、初めて流した涙。そ

の作業ができなかった悔しさよりも、自分ひとりが取り残されたという淋しさの方が大き

かったのだ。慌てて先生が飛んでくる。

「えらいぞ。よく、ここまでひとりで頑張れたね」

優しくされた安心感からか、ついに、ボクは「ワァーッ」と泣き出してしまった。

先生は考えた。この子は、困難な作業をさせられることにはなんの抵抗も示さない。し

かし、まわりの友達と区別されたり、一緒のことができなかったりすることを極度に嫌が

る。かといって、乙武の作業が終わるまで、みんなを待たせておくわけにもいかない。何

でもかんでも手伝ってしまっても、この子のためにならない。

そこで先生が考えたのは、ロッカーをふたつ使わせるという案だった。道具の入った箱

とフタを別々のロッカーにしまっておき、ふたつのロッカーから取り出すようにする。これなら、いちいちフタを開閉する必要がなく、簡単に道具が取り出せる。大幅なスピード・アップだ。

このような「工夫」によって、先生は常にボクがみんなと同様の学校生活を送れるよう配慮してくれていた。

王座転落

ボクは校庭に出ると、とたんに人気者となる。今まで見たことのない、手も足もない子。その子が乗っている電動車椅子。とにかく、珍しかったのだろう。とくに電動車椅子は、ボクが短い腕で操作しているのが見えにくかったらしく、子どもたちの目には、ひとりでに動いているように映っていたようだ。

他のクラスや他学年の子どもたちは、ボクと接する機会が休み時間しかない。そこで、校庭にボクの姿を確認すると、甘いものを見つけたアリのように集まってきた。例によって、「どうして?」を連発する子もいれば、車椅子に乗りたがる子もいた。すると、同じクラスの友達がやって来て、得意気に説明し始める。「これはね、オトちゃんが、お母さんのお腹のなかにいた時にね」

ボクは学校中の注目を集めていた。ボクのいるところには、必ず二重、三重の輪ができるようになったし、ボクが移動すれば、子どもたちは列を作って、ゾロゾロとくっついてきた。このような状況を、目立ちたがり屋のボクが喜ばないはずがない。常に輪の中心にいることに、かなり気分をよくしていた。また、ゾロゾロとついてくる子どもたちを家来だと勘違いしてか、自分のことを「王様みたい」と言って、はしゃいでいた。

だが、ある日、王座転落の危機が訪れた。「これからは、先生の許可なく車椅子に乗ってはいけないよ」。とうとう、高木先生に電動車椅子の使用を禁止されてしまったのだ。

それは、次のような理由からだった。

まずは、車椅子に乗っていることでの優越感。ボク自身は、後ろからくっついてくる子どもたちに気分をよくしていたが、先生は「みんながくっついてくるのは、乙武を慕ってのことではない。ただ、車椅子が珍しいだけなのだ」と見抜いていた。また、「障害者＝特別視」という図式を崩すために、ボクを普通に扱っていたことが、車椅子に乗っていることでの優越感によって、すべて無駄になってしまうのだ。

もうひとつは、体力を考慮しての面。小学生は成長期だ。手と足がないとはいえ、ボクもボクなりに発育していくはずだ。それが、車椅子に乗っていると、自分で体を動かす機会も少なくなってしまう。将来を見据え、筋力も鍛えていかなければならないことも

考えると、車椅子の使用は決してプラスに作用しないという考えだった。

これは、当時のボクにとって、かなり厳しい指示だった。何しろ、車椅子はボクの足代わり。膝までより短い足をペタンと地面につけ、お尻を引きずるようにして歩くことしかできないボクにとって、車椅子ナシの校庭はあまりにも広かった。体力的にも、かなりキツイ。

当然、反対意見も出された。ボクが校庭を歩くようになってからの数日間、女性の先生方を中心に「かわいそうですよ」との声が絶えなかったという。真夏や真冬になると、その声はいっそう強まった。地面にペタンとお尻をつけて歩くボクには、他の人よりも大地の熱さ、冷たさが激しく伝わるのだ。

また、朝礼の時間にも問題があった。集会が終わると、子どもたちは音楽に合わせて行進し、教室に戻る。男子の先頭はボクだったので、どうしてもボクのクラスは遅れてしまう。そこで、先生は仕方なく「乙武を追い抜かすように」との指示を出したのだが、すると、ボクは広い校庭にポツンと取り残されてしまう。このことは、さらに「車椅子許可論」に拍車をかけた。

それでも、先生は耳を貸さなかった。「今だけかわいがってやることは、いくらでもできる。だが、この子はいつかひとりで生きていかなければならない。その将来を考え、

今、何をしてやることが本当に必要なのかを考えていくのが、私の役目なのだ」との信念からだ。

高木先生のこの決断は、正解だったと言える。その後、ボクが進学した中学・高校・大学は、いずれも障害者のための設備が整っている学校とは言えなかった。そのため、ボクは階段の下に車椅子を停め、そこからは自分の足（お尻？）で階段の昇降、校舎内の移動などを行わなければならない。

だが、こうした自力での移動が可能となったのも、すべてこの高木先生の指導のおかげだったと思う。小学校に入った段階から、ずっと電動車椅子に乗り続けていたならば、ボクは電動車椅子から離れることのできない障害者となっていたに違いない。そして、そうなった時の日常生活を想像してみると……。今とは、まったく生活の「幅」が違っていただろうし、気持ちの上でのゆとりも違っていただろう。

先生自身、ボクに対しては、意識的に厳しくしていたようだ。「乙武に『コワイ先生』だと思われてもいい。その代わり、『でも、高木先生に受け持たれてよかった』と言われるような教師になりたかった」と言っている。

「真の厳しさとは、真の優しさである」高木先生のことを考えると、この言葉の意味を心から噛みしめることができる。

オトちゃんルール

手のはたらき

クラス内のボクへの配慮は日毎に薄れていったと
いうわけではなく、気遣いをしなくても問題が生じなくなってきたのだ。やさしい心遣いがなくなってきたと
意味で「クラスの一員」になれたことの表れでもある。ボクが、本当の

1年生の国語の時間、教科書で「手のはたらき」について学ぶという章があった。文字
通り、「手」は、どのような時に使うのか、なんのためにあるのか、といったことを学ぶ
のが目的だった。手のない子を受け持っている先生にとっては、なんともやっかいな単元
だ。教科書がこのあたりまで進んだ時、他のクラスの先生方まで、「高木先生、どうする
つもりだろう」と心配してくれていた。

しかし、高木先生は意外にも、「なんの迷いもなく、というわけにはいかなかったが、

その章を飛ばすことは、まったく考えなかった」という。その理由として、「毎日、乙武
と接するなかで、自分が四肢欠損児を扱っているという感覚がなくなっていた。自分が受
け持っている『38人のうちのひとり』として接することができるようになっていた」こと
を挙げている。さらに、「もし、クラスの子どもたちや自分自身が乙武を障害者という目
で見ていたら、おそらくこの単元を扱うことには抵抗があっただろう」とも言っている。

この単元の最後に、先生は「手を使うこと」という題目で、子どもたちに「今日、手を
使って何をしたか」を書かせた。みんなは「歯をみがいた」「字を書いた」などと書いて
いたが、ボクは「椅子にのぼった」と書いた。

本来、椅子は「座る」ものであって、「のぼる」ものではない。しかも、その動作に手
は必要とされない。しかし、ボクが椅子に座るためには、よじ登るようにしなければなら
ない。そして、その際には短い手で椅子を押さえることが必要なのだ。そこで、ボクは、
「手を使って椅子にのぼりました」と書いたのだ。

そのことでボクをからかうような子は、ひとりとしていなかった。「たしかに、オトち
ゃんは椅子に座る時に、手を使っている」と、みんながあたりまえのこととして受け止め
てくれた。先生は、こうなることも考えて、この単元を扱うことに踏み切ったのかもしれ
ない。

必殺「噛み付き」攻撃

幼稚園でリーダーを気取っていたことからも分かるように、当時のボクは鼻っ柱が強く、友達と衝突することも少なくなかった。たいていの場合は、得意の「口ゲンカ」で終わったが、時には、本気でぶつかり合うケンカに発展することもあった。

「オトちゃんが悪いんだ、謝れ！」

「違うよ。オマエの方が悪いんだ、謝れ！」

「何だよ、悔しかったら、ここまで来てみろ」

相手は、ボクの届かない机の上に立って、アッカンベーをしている。怒り心頭のボクは机まで駆け寄ると、体当たりで机をひっくり返す。そこから転げ落ちた相手にも、再度、体当たりだ。

「危ねーな。何すんだよ」

そう言うと、相手もボクに飛び掛かってくる。そして、ボクにパンチを繰り出してくるが、自分の膝よりも下にいる相手だ。パンチは、なかなか届かない。そこで、相手はキック攻撃に切り替えてくる。これなら、足元にいる相手に対しては効果バツグンだ。こうなると、ボクはひとたまりもない。だが、泣き寝入りするようなことは、決してしなかっ

た。ボクの勝ち気な性格が、そんなことを許すはずがないのだ。

そこで、ボクも反撃に出る。相手がボクを狙って振り下ろしてきた足を捕まえ、懸命にしがみつく。相手がどんなに足を振りほどこうとしても、必死で食らいついて離さない。

「ガブッ‼」

「痛ぇぇぇーっ」

本当に「食らいついて」しまった。今まで、さんざん蹴飛ばされた仕返しとばかりに、思い切り噛みついた。ボクは、手の代わりに口で作業をすることが多かったために、他の人よりもアゴの力が発達していたようだ。噛まれた相手の足には、歯形がクッキリ。本当に痛がっていた。

相手が強いのか弱いのかなどと計算することなく、とにかく相手に向かっていってしまうのは、「普通の」ケンカとなんら変わることがない。きたるべき戦いに備え、乙武少年は今日も牙を研ぐ⁉

一緒に遊ぼう

障害者が学校生活を振り返った時、その多くが「最も苦痛だった時間は、休み時間だった」と答える。普通の子どもであれば、よほどのガリ勉でない限り、いちばん好きな時

間に休み時間を挙げるだろう。それが、障害者の場合は逆になる。その理由は、こうだ。

授業中は、黙って席についていれば45〜50分、すぐに終わる。けれども休み時間にな

りクラスメイトが楽しそうに遊んでいると、仲間に入っていけない自分は、より強い孤独

を感じる。そして、ただただ休み時間が早く終わらないかと願うばかりになるのだ。

けれども、ボクも彼らと同じように、休み時間が最も苦痛だったかというと、決してそ

んなことはなかった。嫌いだったどころか、他の子どもたちと同様、いちばん楽しみにし

ていたのが休み時間だった。と書くと、この子は一体、何を楽しみにしていたのだろう、

何をして遊んでいたのだろうと不思議に思われるかもしれない。

しかし、その遊びの内容も、野球・サッカー・ドッジボールなど、普通の小学生が興じ

る遊びと、なんら変わることがなかった。「おいおい、そんな体で野球やサッカーって、

一体どうやってするんだ?」と、ますます不思議に思われそうだ。当然、それらの遊びを

みんなとまったく同じようにするには無理がある。しかし、だからといって、その遊びを

止める必要はない。ボクも参加できるような、「特別ルール」があればよいのだ。それは、

「オトちゃんルール」と呼ばれた。クラスの友達が考え出してくれたのだ。

なかでも、野球が好きだった。バットを脇の下に挟み、体を回転させる。つまり、それ

がボクのスイングとなるのだ。そうして、ピッチャーが投げたボールを打つことはでき

た。ここで、「オトちゃんルール」の登場となる。ボクの打順の時には、反対側のバッ

ターボックスに友達が控える。そして、ボクがボールを打った瞬間に、その友達が変則的

な代走として1塁に向かって走り出すのだ。

こんなルールもあった。ピッチャーの投げたボールを、フルスイング。会心の一撃だっ

た。ボールは勢いよく、内野の後方まで飛んでいった。ボクにとっては、大飛球だ。

「オトちゃん、スゴイよ。今の当たりは、ホームラン級だね」

「ホントだね。そうだ！ オトちゃんにも、ホームランの位置を決めようよ」

「そうしよう、そうしよう」

「みんなは外野の頭を越えたらホームランだから、オトちゃんは内野の頭を越えたらホー

ムランにしよう」

そうして、内野と外野の境あたりに線が引かれた。甲子園の「ラッキーゾーン」なら

ぬ、「オトちゃんゾーン」の出来上がりだ。

他の遊びをする時にも、さまざまなルールを考えてくれた。サッカーで、シュートを決

めれば1点が入る。誰もが知っている、あたりまえのルールだ。

「じゃあ、オトちゃんがシュートを決めたら、一気に3点ね」

そんなルールができあがった。3点といえばサッカーではたいへんな得点だ。友達が、

ドリブルで相手のゴール前まで攻め上がる。キーパーが前に飛び出してきたところに、ゴール前で待っていたボクにコロコロとパスを出す。ボクは、無人のゴールにボールを蹴り込めばよかった。それだけでハットトリック（ひとりが1試合に3得点すること）なのだ。

最もムチャクチャなルールが設定されたのが、ドッジボール。それは、「オトちゃんにボールが渡ったら、相手チームの何人かは、オトちゃんの半径3m以内に寄らなければならない」というものだった。ボクも、それだけ至近距離だったら、そこそこ威力のあるボールを投げることができた。そして、男の子であろうと女の子であろうと、五分五分くらいの確率で相手にボールをぶつけることができるようになった。

ただし、内野にいるとすぐにボールをぶつけられてしまうので、ボクの位置は常に外野。そして、ボクが相手チームの子にぶつけた時には、ボクの代わりの子が内野に入れる、といったようなルールも決められていた。

みんなは、「あの子は障害者でかわいそうだから、一緒に遊んであげよう」という気持ちで、こうしたルールを考え出してくれたわけではない。クラスメイトのひとりとして、一緒に遊ぶのもあたりまえだったのだろう。ボクもボクで、そのことを「あたりまえ」と受け止めていた。

好きな授業は体育

ジャングルジムで鉄棒

先生に、「いちばん好きな授業は何?」と聞かれた時に、「体育」と臆面もなく答えて、驚かせたことがある。しかし、この気持ちに偽りはなかった。

両親との間に、こんなやりとりもあった。

ボク「ねぇ、手と足のどちらかが生えてくるとしたら、ボクはどっちが欲しいと思う?」

両親「さぁ、わからないな。ヒロはどちらが欲しいの?」

ボク「足だよ」

両親「どうして? 手があったら、身の回りのことが何でもできるようになるのに」

ボク「それは、あんまり困ってないからいいの。でも、足があったら、みんなと一緒にサッカーができるんだよ」

身の回りのことをみんなにやってもらっておいて、「困ってない」とは不届き者だが、当時は真剣にそう思っていた。それだけ、体を動かすことが好きだったのだ。

しかし、ボクのそんな気持ちとは裏腹に、高木先生は体育の時間のことで頭を悩ませていた。どこまで一緒にやらせて、どこから見学をさせたらいいのか。そして、先生を最も悩ませていたのが次の点だった。「何でもやろうとする意欲はすばらしいが、彼にはどうしてもできないこともある。そんな時には、どのようにして彼を傷つけないよう見学を促したらいいのだろうか」このあたりの葛藤は、しばらく続いたそうだ。だが、先生が悩んでいるのをよそに、ボクは何にでも挑戦した。

体育の時間は体操で始まる。乙武はどうするのだろうと先生が注目していると、みんなの動きに合わせて短い手を振り回したり、体をピョンピョン跳ねるようにしたりしていた。これを見た先生は、「そうか、何もまったく同じことをさせる必要はない。乙武ができる範囲で、みんなと同じことをすればよいのだ」ということに気付いた。それで、ボクに対する指示が出しやすくなったという。

みんながトラックを2周する時には、「君は、あの水道のところまで行って帰ってらっしゃい」。走り高跳びをする時には、「みんなはバーの高さを上げていくけれど、君の時にはバーを下げていく。それを上手にくぐってごらん」。ボクは見学が何より嫌いで、新た

な課題を与えられると、うれしくて仕方がなかった。

先生の指示でなく、自分なりの工夫で授業に参加することもあった。先生もボク自身も、さすがに鉄棒は無理と思い、列を離れジャングルジムの方へと向かった。そこで、みんなが悪戦苦闘している様子を見ながら、「頑張れ」などと声援を送る。

その時、「あれっ」と感じた。

「このジャングルジムのいちばん下の棒は、ボクにとってちょうど鉄棒くらいの高さだぞ」

試しに、脇の下で棒を挟み込む。グッと力を入れると「フワリ」と体が宙に浮いた。みんなの方を見ると、鉄棒にぶら下がり、大きく体を振る練習を盛んに繰り返していた。そこで、ボクも棒を挟んだまま、ポーンと地面を強く蹴り出してみる。すると、ボクの体は勢いよく前に飛び出した。今度は、その反動で体が後ろに引っ張られる。この繰り返しで、ボクは鉄棒を軸とする振り子のように動くことができた。ジャングルジムが、鉄棒へと早変わりだ。

ピョン、ピョン、ピョン

1月に入り、なわとびの授業が始まった。それと同時に、高木先生の苦悩も始まる。

どのようにして参加をさせたらよいのだろうか。それまでは体育の時間が楽しくて仕方のなかったボクも、なわとびが始まってからは、体育の時間が来るたびに憂鬱になった。それが、一転して「なわとびやろう」と友達に声をかけるまでになるのだから、おもしろい。

ある日、先生が両端で友達同士がなわを回している真ん中にボクを置いて、「いいか、なわが来たら体操の時のように跳びはねるんだぞ」と言った。何回か試みたが、うまくいかない。先生も諦めかけようとした時、「ピョン」とタイミングが合って、1回だけ跳ぶことができた。跳べたというよりも、なんとか浮かした体の下を、なわが通っていったという感じだ。それでも、先生は「すごいぞ、乙武。その調子で、続けて跳んでみろ。ピョン、ピョンというタイミングだぞ」と誉めてくれた。ボクは、「ピョン、ピョン」と口のなかでタイミングを計りながら、なわへと向かう。今度は、3〜4回も跳ぶことができた。

しかし、ここまでが限度。短い足をバネにして全身を浮かすのだから、相当の体力を要するのだ。先生の「疲れたか?」の問いにも、いつもは決して弱音を吐かないボクだが、なわとびをした後には必ずへばっていた。

それにしても、人は練習すると、こんなにも上達するものなのだろうか。

「先生、ボク、なわとび23回も跳べるようになったよ」

「ええっ、どうやって?」

「ミヤちゃんと一緒に跳ぶの。先生、見ててね」

相手が、ボクと向き合う形をとり、なわをスタンバイする。「せーの」という合図とともに、なわが回る。ボクが跳ばなければならないのはもちろんだが、相手が引っ掛かってもNG(失敗)だ。そこで、ボクは運動神経のよいミヤちゃんに相手を頼んで練習してもらっていたのだ。

「ピョン、ピョン、ピョン、ピョン」

何回も練習しただけはある。ふたりの息はピッタリだ。

「すごいぞ、ふたりともよく練習したね。今度はもっと練習して、30回以上を目指してごらん」

ボクらは、また練習に励んだ。1回跳んでは、しばらく休憩。再度チャレンジしては、また休憩。こんなにのんびりとした練習に、ミヤちゃんもよく付き合ってくれた。

34回。今まででいちばん多く跳ぶことができた。「じゃあ、先生に見てもらおうか」心なしか、ミヤちゃんも誇らしげだ。高木先生を呼びに行き、ボクらは特訓の成果を披露した。だが、緊張のためか、29回しか跳ぶことができなかった。

それでも、先生は「本当によく頑張った」と、相好を崩していた。ボクはミヤちゃんのおかげで、他の子たちの何十倍も「なわとび」を楽しむことができたのだ。

目指せ、箱根！

体育でなわとびが始まったのと同時期に、「マラソンカード」というものが配られた。

マラソンをして校庭を1周すると、東京から箱根までを描いた地図の1駅分だけ塗りつぶすことができるというものだ。高木先生は、遠足や運動会の時だけでなく、学校が何か新しいことを始める時には、「乙武には、どのように参加させようか」と頭を悩ませていたようだが、今回も同じだった。そして、3日間考えた末、クラスにこんな提案をしてくれた。

「みんなは1周走ると1マス塗ることができるけれど、乙武くんの場合は1周走ったら4マス塗れるというので、どうかな？」

「いいでーす」

みんながいっせいに答える。

「乙武も、それで頑張れるな」

「はい。ボク、毎朝走ります」

言ってみれば、先生の考えてくれた「オトちゃんルール」だ。これならば、ボクもみんなと一緒にマラソンを走っても、色塗りの進度状況に大きな遅れが出ることはない。気合が入った。

ボクは、翌日から箱根へ向けて「旅立った」。朝は、登校する時間が早ければ早いほど、走る時間を多く取れる。出掛ける支度をしながら「早く、早く」と母を急かしていた。しかし、高木先生はボクが走っている姿を心配そうに見守っていた。ふだんのボクは、危険に対して常に敏感で、人の密集するようなところへは絶対に近寄らなかった。だから、どんなに暑い日に喉が渇いていても、水飲み場が混んでいれば我慢をしていたというほどの徹底ぶりだったのだ。

しかし、マラソンはみんなが同じところを走る。ボクは座った状態で、お尻を引きずるようにして走るので、後ろから走ってきた子たちからは見えにくい。おしゃべりをしながら走っている子には、とくに注意を払わなければならない。なかでも、高学年の男の子などは背が高い分だけ、ボクのことが見えにくいだろう。間違えて、蹴飛ばされでもしなければいいのだが、というのが高木先生の心配だった。

しかし、これは杞憂に終わった。その心配をしていた高学年、それも6年生のお兄さんたちが一緒に走ってくれたのだ。ボクと一緒に走るといっても、みんなにとってはジョギ

ングにもならない速度。そこで、順番に自分のマラソンをこなし、走り終わるとまたボクのところに戻ってきて隊列を組んでくれたのだ。他の子が誤ってボクを蹴飛ばすことのないよう、前後左右を6年生で固めてくれたのだ。

また、この時期はたいへん雪が多く、校庭にも雪解けでぬかるんでいる箇所がいくつかあった。そのような時、「お尻が濡れてしまうから」とヒョイとボクを抱えてくれたりした。まさに、「走る護衛チーム」。このことは、高木先生もたいへん喜んでいた。

こうして、先生の配慮、仲間の協力、上級生の思いやりによって、ボクは体育の授業もなんら嫌な思いをせずに楽しむことができた。

先生は、この「1周4マスルール」を提案するにあたって、「乙武以外の走ることを苦手とする子が反発しないだろうか」というようなことを心配したそうだ。しかし、前にも書いたように、それについて反対する子はひとりもいなかった。1年間をともに過ごすなかで、みんながボクを理解してくれるようになり、「オトちゃんだって、ハンデをつければ、何にでもみんなと同じように参加できる」ということを知っていったのだ。

むしろ、そのことをみんなと同じように教わったのは、高木先生の方だったかもしれない。元祖「オトちゃんルール」を考え出したのは、子どもたちだったのだから。

おにぎりの味

ズルイよ

1年に2回ある遠足。ボクは、いつも楽しみにしていた。もちろん、友達と遠くへ出かけるということも楽しみのひとつだったが、さらにボクをワクワクさせたのは電車だった。

ふだん、家族で出かける際には自動車を使う場合が多く、電車に乗る機会は滅多にない。そこで、先生や友達と一緒に出かけることができ、さらに電車にも乗ることができる遠足は、ボクにとって、この上ない楽しみだったのだ。

低学年までの遠足は、学校から比較的近い公園や動物園など、車椅子でもとくに差し支えのないコースだった。しかし、高学年になるにつれ、次第に内容がハードになってくる。そして、今回の4年生の遠足で、その厳しさは頂点を迎えた。

「今度の遠足は、山登りだ」と聞いたのは、4年生になってすぐのことだった。それも、大人が登るのにも険しい山ということだ。何でもやりたがるボクでも、ボクの頭に、「車椅子ではなおさら……」という言葉が続く。さすがに今回は無理だと思った。母の口から、今回の遠足は欠席する旨を先生に伝えてもらう。しかし、先生はそれを認めなかった。

「連れていってしまえば、なんとかなるでしょう。まさか、その場に置いてくるわけにもいきませんし」

しかし、その先生も遠足の実踏（実地踏査）に行って、事の重大さというほど知らされた。それだけ険しい山なのだ。遠足など遠出をする時には、重たくて動きのとりにくい電動車椅子ではなく、軽くて折りたたみ可能な手押し車椅子で行くのだが、その軽い車椅子でも無理ではないかという声も上がった。道中、「このへんは、車椅子を押していくのは無理。これぐらいなら、なんとか押していけるかもしれない」などと、先生方で話し合いながら進んでいったそうだ。

本来、実踏というのは、トイレの位置を確認したり、休憩する場所を考えたり、全員が整列するスペースがあるかを確認するために行われるものだ。それが、いつの間にか他のクラスの先生も加わって、「乙武をどのようにして連れていったらいいか」という実踏

に変わってしまっていた。4組の体の大きな男の先生も、「いざとなったら、私が背負って歩きますから、心配せずに乙武を連れていってください」と言ってくれていた。とにかく、学年全体で、ボクを頂上まで連れていく覚悟だったようだ。

翌週、学級会が開かれた。議題は、「オトちゃんをどうするか」。変テコな学級会だ。

先生「今度の遠足は、神奈川県にある弘法山というところに行きます。みんな、山登りになるけど、だいじょうぶかな?」

子ども「だいじょうぶでーす」

先生「この前、先生も他のクラスの先生と一緒に行ってきたけど、本当にたいへんでした。それでも、みんなはだいじょうぶかな?」

子ども「だいじょうぶでーす」

先生「でも、乙武くんは車椅子だよね。このまえ、お母さんから、『今回の遠足はお休みさせます』って言われたんだけど、みんなはどう思う」

子ども「ズルイよ!」

予期せぬ言葉が返ってきた。高木先生も、この言葉には驚きを隠せずにいた。

子ども「そんなに登るのがたいへんな山なのに、オトちゃんだけ休むなんてズルイよ」

他の子からも、「そうだ、そうだ」という声が上がる。

ボクが行くことになって、よけいに苦労をするのは子どもたちだ。ただ登るだけでもキツいというのに、車椅子を連れて頂上を目指さなければならないのだ。

しかし、その子どもたちから発せられた言葉は、「オトちゃんだけ休むなんてズルイ」。彼らにとっては、クラスの一員であるボクが、行事を休むことが不可解だったようだ。こうして、ボクも弘法山に挑むこととなった。

チームワーク

天は、味方をしてくれなかった。　遠足が予定されていた日は、朝からドシャ降り。その日に雨が降ると、翌日に順延されることとなっていたため、翌日がどんなに好天に恵まれようと、ぬかるんだ山道を登らなくてはならないのだ。

また、その雨は、力強い助っ人をも失わせた。通常の遠足では母が付き添いとして来てくれていたが、今回の遠足は山登りだということで、体力のある父が会社を休んでついて来てくれることになっていた。しかし、順延された日には長崎への出張が組まれており、どうしても休暇をとることができなかったのだ。

こんなにも悪条件が重なっていたのに、雨は降った。昼前には雨も上がり、快晴と呼べるほどの天気となっただけに、本当に朝方の雨が恨めしかった。

一日遅れの遠足は、お天気に恵まれた。しかし、今日の難敵「弘法山」は、登れるものなら登ってみろ、と言わんばかりにそびえ立っている。先生も、連れていってしまえばどうにかなるだろうと言ったものの、頂上までたどりつけるかどうか不安になったそうだ。

ボクも、こんな高い山に車椅子で登れるのかと心配で仕方がなかった。そう思わせるほどの威圧感を、弘法山は備えていた。

登り始めてすぐ、5〜10分間ぐらいの急な斜面が続く。道はたいへん狭い上に、急坂だ。

しかも、前日の雨で地面はぬかるんでいた。ともすると、タイヤがはまってしまうようなところもあった。車椅子を押すだけでは、なかなか進まない。前輪を持ち上げ、車椅子を担ぐような格好で、一気に駆け上がる。気がつくと、教頭先生も加勢にきてくれていた。

最初からこれでは、先が思いやられる。本当に登りきることができるのだろうか。登山などしたことのないボクは、「心臓破り」とでも命名されていそうな急坂に、早くも度肝を抜かれ、不安で心が張り裂ける思いだった。

それからしばらくは、多少のアップダウンはあるものの、最初の急坂に比べれば割合と歩きやすい道が続いた。高木先生も、そう体力がある方ではない。先ほどのような急な斜面に備えて、平坦な道は子どもたちに任せた。

4年生ともなると、男の子たちのなかには体の大きな子も何人か出てくる。その中心と

なったのが、クラスのなかでもとくに体が大きく体力もある、ダイスケやシンくんだ。しかし、いくら体が大きいといっても、やはり10歳の力はたかが知れている。デコボコした道では、彼らが押したくらいでは、なかなか前へ進まない。車椅子の前にまわって、つかえた時に前輪部分を持ち上げたり、走行の邪魔となる石や小枝を払いのける係が必要となった。そこで、体はそんなに大きくないけれども、運動神経がよく、すばしっこい動きを得意とする子が、その役を買って出る。

後ろからはダイスケやシンくんが。右にはミヤちゃん、左にはタカユキが控え、車椅子が引っ掛かった時にヒョイと持ち上げる。ふたりの息はピッタリだ。そして、急な斜面に差し掛かると、高木先生や教頭先生に交代。そして、一気に駆け上がる。すばらしいチームワークだった。

みんな顔は真っ赤、首のあたりは汗でビッショリ。ぬかるんだ地面のため、膝から下は泥まみれだ。一生懸命という言葉だけでは足りないくらい、頑張ってくれた。

ボクのなかでは、みんなに対する「ありがたい」という気持ちと、「申し訳ない」という気持ちが同居して、胸がいっぱい。自分では何もすることのできないもどかしさも手伝って、みんなにどんな声を掛けたらいいのかさえ、分からなくなっていた。車椅子から飛び降りて、みんなと一緒に後ろから押したい。そんな気持ちにさえなっていたが、叶うは

ずもなく、ただただ一刻も早く頂上へ着くことを祈るばかりだった。

頂上は、遠かった。もう、3日間も歩き続けているのではないかと思うほどだ。だが、ようやく光が見えてきた。自然とみんなの足も速まる。最後のひとふんばりで頂上まで登り詰めると、一気に視界が開ける。ついに、弘法山に勝った。

「やったー‼」

「先生、見て見て」

「うぉー」

あちこちで歓声が上がる。大の字になって寝そべる子。水筒の水を一気に飲み干す子。「やったね、オトちゃん」と言って、握手を求めにくる子。いろいろな子がいたが、みんな、いい顔をしていた。

本当は、ボクの方から「お疲れさま、ありがとう」とお礼を言って回らなくてはいけなかったのだが、ボク自身、疲れ果てていた。なぜだか、グッタリとして体が動かなかった。きっと、車椅子の上で力が入っていたのだろう。それは、みんなと気持ちがひとつだったことの表れだ。

「今までに食べたなかで、いちばんおいしかったものは?」と聞かれれば、ボクは間違いなく「弘法山の頂上で食べたおにぎり」と答えるだろう。

背中のVサイン

悪夢、再び

体育の時間に着替えたり、旅先でお風呂に入る時など、たいていの人はボクの背中を見て、ハッと息をのむ。　左右の肩口から腰の中心部にかけて、まるで背中全体をキャンバスにしてV字を描いたかのような、痛々しい傷跡が目に飛び込む。　小学校の高学年に繰り返された手術の跡だ。

最初の手術は幼稚園の時だった。　人間は、骨の成長の方が肉の成長よりも早いという。　肘から先がないボクは、そのまま放っておくと、骨が肉を突き破って飛び出てきてしまうのだ。　そして実際、幼稚園の時に、手の先端部分が次第に化膿し始め、手術をすることとなった。

その手術とは、腰の骨を取り出し、手の先端にくさび形に打ち込み、手の骨が成長す

るのを妨げるというものだった。だが、ボク自身は、まだ小さかったこともあり、この時の記憶があまりない。しかし、両親は鮮明に覚えているようだ。ボクを手術室へと送り出すつらさ。手術が終わるまで待たされた、あの永遠とも思われるような長い時間。そして、数ヵ月もの間、ギプスで固定され続けた入院生活。もう、こんな思いは二度としたくないと。

しかし、これで終わりではなかった。小学校4年生に上がり、ボクの腕に変化が生じ始める。ジャガイモのように丸っこかった腕が、徐々に尖っていった。最初のうちは、気にしないようにしていた。しかし、そのうちに気にせずにはいられないようになってきた。ズキズキと痛み出したのだ。

この痛みは、今までに経験したことのないようなものだった。病院に行き、レントゲンを撮ってもらったが、案の定、骨が肉を突き破ろうとしているという。成長期に入り、骨の成長が著しくなってきたということだった。

痛みは、日増しにひどくなっていった。着替えの時に洋服が手に触れただけで激痛が走る。そこで、体育の授業も、特別にふだん着のままで受けさせてもらうことになった。これだけ手が痛んでも、体育だけは見学しようとしないのだから、よほど体育が好きだったのだろう。

しかし、その大好きな体育や休み時間にも支障が出てきた。まず、ボクが最も楽しみとしていたボール遊びができなくなる。ボールを扱うことなど、とてもではないが、できなかった。そして、ついに走ることもできなくなる。ボクの場合は、走るといってもお尻で跳びはねるような全身運動。着地した際に腕にも振動が伝わり、体のなかに針金を入れて掻き回されるような、キンキンする痛みがボクを襲うのだ。

こうして、体を動かすことが大好きだったボクにとって、ひとつひとつできることが減っていく状態は、たまらなく苦痛であり、淋しかった。そして、ついに恐れていた状況が起こる。先端部分が化膿し始めたのだ。再手術が決まった。4年生の夏休みのことだった。

ついに、手術の日

手術に際して、ボクに手足がないことで病院側も困惑した部分が多かったようだ。まず、全身麻酔。ボクは体が小さいため、普通の人とは麻酔の適量が異なるらしい。麻酔の量というのは、少し間違えただけでも大きな事故につながるので、麻酔科の先生はずいぶんと神経をすり減らしたようだ。

次に、採血や点滴。普通の人なら、腕にある血管が最も針を刺しやすいそうなのだが、ボクにはその腕がない。先生は、その場で腕組みをして考え込んでしまった。そこで、先生は名案を思い付いたのだが、その言葉にボクは青ざめてしまった。

「そうだ、脈を測る時には、首に手を当てたよね」

そう、本来ならば腕にする採血や点滴を、ボクは首ですることになったのだ。顔の真横に針が来る。こればかりは、何度やっても慣れることはなく、生きた心地がしなかった。

入院して、5日目。ついに手術の日がやってきた。真夏の暑い日だった。なんとなく実感が湧かなかったが、手術の数時間前になり、布を巻いただけのような手術着なるものを着せられると、「あぁ、いよいよか」と胸が締め付けられていった。不安という波が、とめどなく押し寄せてくる。

今回の手術は、前回とは異なるものだった。背中の筋肉を切り取り、手の先端部分を包み込むような形で移植をするという。比較的、成長の度合いが早い筋肉ならば、骨の成長にも負けないだろうという考えだ。

テレビでよく見かける台に乗せられ、手術室へと向かう。両親と別れる時には、思わず涙がこぼれそうになったが、ここで泣いたらカッコ悪いと、グッとこらえる。今から考えれば、よくそこまで考える余裕があったものだと我ながら感心するが、台が両親の前を

通り過ぎ、扉がパターンと閉まったと同時に、一筋の涙が流れていった。やはり、いくら強がってみても10歳の子ども。怖かったのだ。

それを察知した看護婦さんが、声を掛けてくれる。

「手術、こわい？」

「うん」

「大丈夫よ。手術室に入ったら、すぐにお薬で眠ってしまうの。手術はその間に終わっちゃうから、痛いことは何にもないのよ」

手術室に入ると、看護婦さんの言葉どおり、すぐに麻酔がかけられた。世界が回りながら遠ざかっていく、もしくは自分が何かに吸い込まれていくような感覚で、意識が遠のいていった。なぜだか、その時に耳元で交わされていた看護婦さんと先生の会話が記憶に残って離れない。

「先生のお子さん、もういくつになったんですか？」

「ん、うちの？　もう、中学生」

「もう、そんなに大きくなられたんですか。お名前、何でしたっけ？」

「龍太郎。最近、名前の画数が多いから、テストの時に時間がかかって仕方がないと文句を言わ……」

気がつくと、夕方になっていた。3時間の手術は、予定より長くかかったそうだ。と

りあえず、成功ということだった。

憂鬱な日々

ボクが入院した病院は、完全看護制。たとえ、親といえども、面会時間は3時から7時

と決められていた。それは、手術の日とて例外ではなく、7時になると「あとは私ども

で面倒を見ますから、どうぞお引き取りください」と両親ともに帰されてしまった。

手術当日は、ボクも意識が朦朧としていたため何も感じなかったが、1日、2日と経

つにつれて、淋しさが増してくる。7時近くになり、「もう、帰るからね」の言葉に、「あ

と、1分いて」などと、わがままを言って困らせた。母は、その時の様子を、後ろ髪を引

かれる思いだったと振り返る。

ボクが淋しい思いをしていたのは、もちろん手術をした後で、気が弱くなっていると

いうこともあったが、まわりの友達との関係が最も大きな原因だった。無視をされたり、

いじめられたりということはなかったが、そこは病院。入退院の出入りが激しく、少し

なかよくなっても、すぐに退院してしまう。とくに、ボクが入院していた部屋は整形外科

が主で、骨折などで入院してくる子が多く、退院も早かったのだ。ボクのような長期入院

の人間にとっては、友達を作りやすい環境とは決して言えなかった。

そして、忘れてはならないのが、ボクが障害者であるという点だ。障害者は友達ができないと言うつもりはない。だが、最初にボクを見た子どもはビックリしてしまい、友達になるどころではなかった。少し時間をかければ、学校と同じようにボクに慣れてもらい、友達になる自信はあったが、それには時間が少なすぎた。結局、なかよくなる前に、みんな退院してしまうのだった。

また、ボクを悲しませたのが、病院の規則。病院内で騒ぎ立てられては困るという理由からか、面会は14歳以上からしか認められていなかった。「オトちゃんのお見舞いに行きたい」と言ってくれる友達もいたが、それは叶わなかった。友達と遊ぶことが生活の中心であり、いちばんの楽しみだったボクにとって、2ヵ月近くも友達と会えないのは、ただっ広い砂漠にたったひとり、取り残されてしまったような感覚。淋しかった。

そんな悪条件が重なり、いつもの元気はどこへやら。入院中のボクは、すっかり気が弱くなってしまっていた。ある日、ボクの元気のない様子に気付いた看護婦さんが、声を掛けてくれた。それまで、あまり話し相手がいなかったボクは、いろいろなことを話した。手術のこと、学校のこと、入院生活のこと、好きなアニメのこと、そして、淋しい思いをしていること。

その看護婦さんは、終始、にこやかに話を聞いてくれていた。そして、ボクの話が終わると、優しく肩に手を掛けてくれた。こんなに温かい感触は、どれぐらいぶりだろう。

その肩から伝わる温もりに、ボクは安心し、それまで張りつめていた緊張の糸も切れてしまった。今までこらえていた涙が、一度に吹き出す。とうとう、声を上げて泣き出してしまった。

「早く、お家に帰りたい」

少しの親切でも、身に染みて感じるようになっていた。優しさが、温かい。ふだん、友達や先生にお世話になっておきながら、感謝の気持ちが薄かったボクには、いい薬だったのかもしれない。

そんなボクの様子を、母から報告を受けていた高木先生は、居ても立ってもいられなくなったという。そして、クラスのみんなに「みんなで乙武に手紙でも書かないか」と提案したところ、まったく予期せぬ答えが返ってきた。

「先生、ボクはみんなにノートを回して、寄せ書きを書いてもらっています」

「私たちは、今、鶴を折ってるんです。私たちふたりで千羽鶴をあげるの」

「私は昨日、乙武くんの家に、お菓子を届けてきました。病院で食べてもらおうと思って」

みんなの気持ち。その後の入院生活の支えとなった。

術後、2ヵ月が過ぎた。抜糸もすみ、ギプスも取れた。鏡に映し出した背中を、恐る恐る眺める。腕の先端から脇の下を経て、腰の中心部まで、背中をバッサリと切られたような傷跡だ。父が言った。

「冬休みに右腕も手術することになっているから、反対側にも同じような傷が残るな。

ヒロ、そうしたらVサインになるぞ。勝利のVサインだ」

つらくなるはずの傷跡が、なんだか勲章のように思えてきた。

OTOHIRO印刷

岡先生

　5年生になり、担任の先生が代わった。その先生は、当時まだ20代で、学生時代にアメリカン・フットボールをやっていたというだけあり、180cmと体も大きい。弘法山の遠足の際に、「いざとなったら、私が背負って歩きますから」と言ってくれた先生だ。年が近いこともあり、ボクらの感覚をよく理解してくれる先生で、人気も絶大だった。

　実は、ボクが用賀小学校へ入学する際、ふたりの先生が担任に立候補してくれたそうだ。ひとりが高木先生、そして、もうひとりがこの岡先生だ。しかし、当時の岡先生は、なんとピカピカの1年生。「こういった特別な配慮を要する子どもを受け持ってもらうには、君はまだ若すぎる」という校長先生の判断により、ボクの担任は高木先生に決まった。そして、4年間を終えたところで高木先生が退職することとなり、入学時に立候補

した岡先生が、ボクを引き継いで受け持ってくれることとなったのだ。

担任の先生が代わり、ボク自身もやや緊張して始まった5年生。そのスタートは大掃除だった。ボクはいつものように、足の下に雑巾を挟み、床の乾拭きをしていた。雑巾を手で挟むことができないため、壁や机を拭くことはできない。必然的に床を拭くこととなるが、これも乾拭きしかできない。雑巾が濡れていると、どうしてもズボンの足からお尻にかけての部分がビッショリと濡れてしまうのだ。そんなボクの様子を、岡先生は初めて目の当たりにした。

「ちょっと話があるから、ついておいで」

掃除中に職員室に呼ばれた。

「何だろう、いきなり怒られるのかな」

などと考えながら、後ろにくっつく。職員室の岡先生の席につくと、先生はどっかと床に腰を下ろした。1m以上あった身長差が縮まり、やっと目線の高さが合う。まともに話をするのは、これが初めてだ。

不思議な機械

先生は、自分の机から機械のようなものを取り出し、床の上に置いてボクに見せてくれ

た。それはワープロだった。

「掃除、みんなと同じようにはできないよなぁ」

「うん」

「他にも、誰かの助けを借りないとできないことってあるよなぁ」

「うん」

「その分、これを使ってクラスのために仕事をしないか?」

これは、ある意味で高木先生とは逆の考え方だった。「特別扱いはせず、できる限りのことはみんなと同じように」というのが高木先生だとすれば、岡先生は「みんなと同じようにすることができなければ、その他のことで補えばいい」という考え方だ。これは、単に考え方の違いというだけではなく、高学年になるにつれて、まわりの友達が身体的に著しく成長していくので、「みんなと同じ」にできることが少なくなってきたというこ とを配慮してのことだったと思う。

また、岡先生はこのようなことも考えていた。これから毎日の学校生活のなかで、乙武が担任である自分や、クラスの友達の手を借りなければならないことは、山ほど出てくるはずだ。そして、友達は苦もなくそれを手伝うだろう。しかし、「人にやってもらう」という行為を繰り返さなければならない乙武本人は、そのことをどのように受け止めるだろ

うか。もしかすると自分自身を不甲斐なく思い、気持ちが小さくなってしまうことはない
だろうか。

　乙武には、「乙武にしかできないこと」があっていいはずだ。周囲に対して引け目を感
じてしまいそうになった時、胸を張って「でも、ボクはみんなのために、これをやってる
ぞ」と言えるような何かをつくってやりたい。そんな気持ちが、ワープロを活用したクラ
ス貢献を発案させたのだ。

　この短い腕でキーボードを操作することができるのだろうか。決して機械に強いとはい
えないボクでも、このワープロという機械を使いこなすことができるのだろうか。そんな
ことを考える間もなく、ボクは「やります」と答えていた。ふたつ返事とは、このことだ
ろう。キーを叩けば文字の出てくる、目の前のこの不思議な機械が、まだ小学生だったボ
クにとって興味の対象とならないはずがなかった。

　翌日、先生は新会社を発足させた。「OTOHIRO印刷会社」――ボクの名前、「おと
たけ　ひろただ」を縮めたものだ。大きな茶封筒に、会社名がきれいにレタリングされて
いる。

　「がんばってくれよ、社長」そう言うと、先生は、封筒を手渡してくれた。以後、原稿の
受け渡しには、この封筒が用いられることとなる。

秘書

ボクはと言えば、すでに先生から借りたワープロの虜になっていた。いじっていて、おもしろかったというのもあったが、「先生が、こんなスゴイことを任せてくれた。早く上手になって、先生の役に立てるようにならなくちゃ」という使命感にも似た気持ちの方が強かった。

先生が下書きとして書きなぐった原稿を文章として打ち出し、それらをレイアウトして見栄えのよいプリントを作成できるようになるまでには、それほど時間を要さなかった。クラスの掲示物、授業で使うプリント、遠足のしおりなど、日を追うごとに「乙武作品」がクラス内に登場する機会が増えていった。

ボクの仕事ぶりは、どうやら先生の期待以上だったようだ。そのうち、他のクラスの先生や、音楽・美術・家庭科の先生方からも仕事を頼まれることになった。岡先生が密かに自慢していたのかもしれない。

「いやー、ウチにはいい秘書がいてね」

今から思うと、普通に掃除をしていたみんなよりも、ボクの方がたいへんな思いをしていたような気もするが、ワープロが楽しくて仕方のなかった当時のボクには、そんなこと

は少しも気にならなかった。それどころか、本当に手足のない子がワープロでプリントを作成できるのだろうかと、半信半疑で依頼してきた先生方に完成品を手渡した時の驚いた顔や、クラスのみんなの「これ、オトがつくったの？　すごいね！」という感嘆の声が、この上なく心地よく感じられた。

岡先生も、初めは不安だったに違いない。最初から、「この子には無理」と、他の子どもたちとは別の仕事を与えてしまうことが、本当によいことだろうかと悩んだはずだ。本人が「差別」と受け取る場合もあるだろうし、他の子どもたちのなかに、「乙武くんは特別なんだ」という意識を植え付けてしまう危険性もある。しかし、岡先生は決断に踏み切った。その背景には、次のような考えがあっただろう。

「できること」と「できないこと」をしっかり区別しなければならない。

このことは、ボクのような障害を持った人間が社会に出て、職業を選ぶ際、非常に重要なこととなってくる。「今」だけでなく、遠い将来のことまでも考慮に入れた教育をしてくれたという点では高木先生と同じだ。

何回ものやりとりで、ボロボロになってしまった「OTOHIRO印刷」の封筒。今でも、大切にしまってある。

早朝特訓とミノル

初めての徒競走

新しい学年を迎えるとすぐに、運動会の練習が始まる。ボクらの運動会は、毎年5月の開催だ。今までは、徒競走は見学。ダンスのようなものにはなんとか参加。玉入れなどは、かごまで玉を投げることができないため、地面に落ちている玉を拾っては、友達に渡す役目を務めていた。

ボクが学校生活のなかで最もイヤだったのが、みんながしていることを自分ができないこと。はっきり言って、運動会はあまり好きではなかった。まして、運動会では学年別に席が分かれている。みんなが競技している時に、ポツンと自分ひとりだけが座席で応援しているのは、たまらなく苦痛だった。

そして、5年生。ボクにとって、5回目の運動会が近づいてきた。そんなある日、岡先

生が、ボクに相談を持ち掛けてきた。

「今年は、どうする?」

最初は、なんのことを聞かれているのか、分からなかった。

「徒競走、みんなと一緒に走りたいか?」

ボクに、だいぶ体力が付いてきたということもあってか、先生はボクを徒競走に参加させてもいいのでは、と考えてくれていたのだ。ボクは、思わずニヤニヤしてしまった。うれしかったのだ。そして、先生に「ボク、走りたい」と言った。

しかし、100mを走り切るのに、ボクは2分以上かかってしまう。普通なら、遅い子でも20秒程度だ。そこで、先生が「じゃあ、ヒロだけ途中からのスタートにしようか。半分の50mでどうだ」との提案。少し悩んだが、100mを走りきる自信がなく、その距離を走ることとした。

ボクは、岡先生の勇気に敬服する。今まで、ボクが徒競走に参加できなかった理由のひとつに、次のようなものがあった。

「ボクがお尻を引きずるようにして走っているのを見た観客のなかから、

「どうして、ああいう子をみんなが見ている前で走らせるのだろうか。かわいそうに。学校は無神経だ」

という声が上がらない保証はない、というものだ。

ボク自身は、そのような考えこそが差別だと感じるが、障害者を見て「かわいそう」と思ってしまう日本では、仕方のないことなのかもしれない。しかし、岡先生はそのような意見に対して、毅然とした態度で立ち向かってくれた。

「大切なのは、観客の気持ちではない」

親友

ミノルという子がいた。彼とは家も近く、大のなかよしだった。とても面倒見のいい子で、5年生になってからのボクの世話は、ほとんど彼がしてくれていた。ボクの世話だけでなく、子どもの面倒を見るのも得意で、近所のお母さん方からの信頼も厚い。純朴を絵に描いたような、心の優しい子だった。

用賀小学校は、登校時に地域ごとの集団登校をすることになっていたが、ボクの班には6年生がひとりもおらず、そんな時に5年生ながら班長を任せられるのも彼だった。

中学生の時の話になるが、こんなエピソードがある。高校受験を控えた3年生の秋。私立高校の受験対策として、校長先生を面接官に見立てた「模擬面接」が行われ、私立高校

を受験するしないに拘らず、全員が受けることとなった。

その模擬面接のなかで、「尊敬する人は誰ですか？」という問いがあった。本来ならば、

「両親です」とか、「野口英世」「ヘレン・ケラー」といった歴史上の人物を挙げるのが

「模範解答」らしいのだが、私立高校を受ける予定がなく、面接の対策など練っていなか

ったボクは困ってしまった。少し間をおいて、答えを見つけた。

「クラスメイトのミノルくんです」

校長先生は、予期せぬ答えに動揺を隠せない。

「ん……それは、どうしてですか？」

「ご存じないとは思いますが、彼はとてもすばらしい人間です。ボクらの年代だと、どう

しても自分のことだけで精一杯になってしまいがちなのですが、彼は、まず第一に他人の

ことを考えることができるのです。ですから、ボクは彼を尊敬しています」

面接が終わると、校長先生はボクに言った。

「私も、彼のことは知っていますよ。本当に心の優しい、すばらしい少年ですね」

そんな彼だったが、真面目一本槍のつまらない男というわけでもない。一緒につるんで

は、バカなこともしていた。

ボクの家の向かいのマンションにも、もうひとり、なかのよいクラスメイトがいた。彼

はミノルとはまた違うタイプの人間だ。常に自分を主張し、持ち前のリーダーシップと目立ちたがり屋精神で、委員などには必ず立候補するクラスの中心人物。猪突猛進という言葉がピッタリの魅力的な子だった。彼とミノル、ボクの3人は「1丁目・悪ガキトリオ」と呼ばれ、いつも3人でつるんでいた。ある日、彼が面白い話を持ち掛けてきた。

「神社で縁日があった翌日には、境内にいっぱいお金が落ちてるらしいぞ」

そんな話は聞いたことがないが、言われてみればそんな気もしてくる。

「でも、そのお金を狙ってるヤツはたくさんいるから、朝早くに行かなければいけないんだ」

彼は、さらに続ける。ボクとミノルは、彼の話に次第に目を輝かせ、いつの間にか、縁日の翌日に「捜索隊」を結成することに決まっていた。

祭りのあとの静けさ。午前6時半ころ。ボクら3人は、コーラ片手に用賀神社の境内の石段に腰掛け、仏頂面を並べていた。

「何だよ、祭りの翌日にはお金がいっぱい落ちてるって言ったじゃん」

「きっと、神社の奴が朝早く掃除した時に、ぜんぶ拾っちゃったんだよ」

「落ちてたのは、ビンの王冠だけ。このコーラを買ったこと考えれば、マイナスだもんな」

ボヤキ合いながらも、ボクはうれしかった。お金は見つけることができなかったけれ
ど、ボクにはこうして一緒にバカをできる仲間がいるということが、何よりもうれしく、
また心強く感じられた。

前置きが長くなったが、運動会に話を戻したい。徒競走に参加することが決まったボ
クは、「せっかく、徒競走に出してもらえることになったのだから、みんなの前で無様な
走りをすることはできない」と、相変わらずの見栄っ張り根性で考えていた。お尻を引
きずるようにして走ることしかできないのだから、格好のよい走り方ができるはずなどな
いのに、子ども心に「みんなの前で、いいカッコをしなきゃ」という気持ちが働いたのだ
ろう。

スポーツ漫画の読みすぎだろうか。すぐにボクは、「朝練だ！」と思い立った。今まで、
50mという長い距離を走ったことはない。そこで、ボクは早朝マラソンをしてスタミナを
つければ、本番でもバテることなく、50mを走り切ることができるのではないかと考えた
のだ。

ミノルを誘った。彼なら家も近所だったし、一緒に走ってくれれば何かと心強かった。
運動会の2〜3週間前から、その「特訓」は始まった。朝6時半に待ち合わせ、近所をグ
ルッと一回り。これだけでも、ボクの足では、30分以上かかる。そして、運動会当日ま

で、雨の日以外は毎日続けられた。

ボクの自信はみなぎっていた。これだけ練習しているのだから、本番でもきっと立派に走り切ることができるに違いないと。そう考えれば考えるほど、当日が待ち遠しく思えたし、連日の早起きも苦にならなかった。

だが、ミノルはどうだったのだろう。「朝練」との名は付いているが、彼にとっては歩くよりもゆっくりのスピード。しかも、休み休みだ。言ってみれば、早朝に近所の散歩をしているようなもの。はっきり言って、彼にはなんの練習にもならない。

それでも、彼はイヤな顔ひとつ見せなかったし、「これじゃ、俺の練習にならないよ」と不満を漏らしたことも一度だってなかった。6時半に待ち合わせの場所へ行くと、彼は、あたりまえのように立っていてくれた。いつもどおりの笑顔で。

デビュー

当日は、あっという間にやってきた。五月晴れという言葉がピッタリの好天。5年生の100m走が、次第に近づいてくる。ボクの胸は「運動会デビュー」に向けて、高鳴りっぱなしだった。そして、出番。50m地点にラインが引かれ、周囲が「あれ?」というような顔をする。そこへ、ひょこひょことボクが登場。観客が一気にどよめく。なんだか、

スタートになった気分だ。

ピストルの音とともに、いっせいにスタート。ボクも、50m地点から号砲を聞いて走り出した。しかし、瞬く間にその差をつめられ、コーナーを曲がったところで、一気に全員に抜き去られる。先ほども書いたが、100mならば、遅い子でも20秒かからない。つまり、スタート20秒後からボクがゴールするまでは、広い運動場にボクひとり。独壇場となる。「ガンバレー！」。拍手とともに声援が聞こえてきた。拍手の音も、次第に大きくなってくる。なんだか照れくさかったが、やはりうれしいものだ。

残り10mくらいに差し掛かり、さすがにへばってきた。スピードも落ちてくる。そんな時、岡先生の「休むなっ、走れ！」という声が響いた。急に、徒競走に参加できることになった時の喜びが胸に甦り、最後の力を振りしぼることができた。

みんなよりも20秒以上も遅れてのゴール。しかし、ボクは走り切ったという充実感でいっぱいだった。満場の拍手を受けて、6位の旗のところに並ぶ。6位の列に並んでいる子どもたちのなかで、こんなにも満足気な顔をしていたのは、ボクくらいのものだろう。まるで、1等を取ったかのようだ。

帰り際、岡先生に「来年も走るか？」と聞かれた。ボクは、なんの迷いもなく、「うん、走る」と答えた。

漢字チャンピオン

ワールドチャンピオン

岡先生は、アイデアマンとして有名だった。教室の入り口を入ってすぐのところに設けた席に、悪いことをした子を座らせ、反省を促す。名付けて、「島流し席」。また、忘れ物をした子には漢字の練習をさせる決まりがあったが、その漢字練習から逃れる方法も用意されていた。何かよいことをした子には「漢字フリーパス券」なるものが発行され、忘れ物をした際に、この「フリーパス券」を渡せば、漢字練習が免除されるという仕組みだ。

なかでも、とくに趣向が凝らされていた漢字テストの手法が、ボクの心をつかんだ。

「漢字世界ランキング」は、漢字テストの点数で順位を競うものだが、とくに変わっていたのは、その採点方法だ。普通の漢字テストでは、「店内をカイソウする」という問題が出た場合、「改装」と書けば点数がもらえる。ここまでは同じなのだが、岡先生の漢字テ

スト用紙には、さらにその下に枠がある。その枠は、同音異義語を書き込むためのものだ。例えば、この場合だと、「階層」と書けば10点もらえる。「回想」も書けば、さらに10点といった具合だ。

だから、この漢字テストにおいては、最高得点が100点ではなかった。150点、200点が出るのも日常茶飯事。自分の努力次第で得点が伸ばせるということで、みんな一生懸命に取り組んでいた。

なかには点数を伸ばそうと、おもしろいことを考える子がいた。「シンコウ」という問題が出た時に、「神鋼」と書いたのだが、先生に「そんな字はない」と言われ、×をもらった。しかし、その子は「先生、『神戸製鋼』の略ですよ。先生は、ラグビー見ないんですか」と食い下がる。これには、ボクらだけでなく先生も大爆笑だった。

みんなが、そんな調子だったことで、困ったのは先生だった。採点する際に、本当にこんな字があるのだろうかと、いちいち辞書で調べる必要が生じてきたのだ。とくに、同音異義語が多そうな問題が出された時には、祭典、いや採点にかかる時間は相当なものだった。

感想、乾燥、完走、歓送、間奏……。

5回のテストが終わった時点で、総合得点がトップの子が、晴れて「ワールドチャンピオン」の座に就くことができる。そして、そのチャンピオンは常にボクだった。他の子に

比べて、放課後の時間を家で過ごすことが多いボクにとって、丹念に辞書を使って調べることを必要とする「漢字世界ランキング」は得意とするところだったのだ。また、人に負けることを何よりも嫌う性格が、ボクの意欲をよりいっそう、かき立てた。

この漢字テストは、「調べる」ことと「暗記する」ことのふたつで優劣が競われるのだが、手持ちの国語辞典では、まわりの子にたいして差を付けることができなかった。掲載されている熟語の量が、あまり多くない。そんな時、ある新聞広告が目に留まった。ボクの目が釘付けになる。

一目惚れだった。その『大辞林』と名付けられたお宝は、厚さ10cm以上はあろうかという、スーパー辞書。「これなら、どれだけの熟語が載っているだろう」と、その時のボクは、店頭で分厚いステーキを見てタメ息をついているような感覚に陥った。

しかし、値段もケタ外れ。5800円という値段は、小学生のボクにとって、とてもではないが手の届く範囲ではない。だが、漢字の女神はボクを見捨てなかった。その頃は、ちょうど息も白くなり始めた12月。クリスマス・シーズンが到来するところだった。祖母からの「ヒロちゃん、今年のクリスマスプレゼントは何がいい？」との問いに、なんの迷いもなく『大辞林』と答える。クリスマスプレゼントに辞書を欲しがるなんて、何て勤勉な孫だろうと思われたかもしれないが、ボクにとって漢字テストは遊びの一種、ゲームの

ようなものだった。よって、この分厚い辞書も、勉強道具としてではなく、少し高価な「おもちゃ」という感覚でおねだりしたように思う。

そして、その「おもちゃ」を手にしたボクは、漢字テストにおいて、盤石の地位を誇るようになった。

他人には負けないもの

チャンピオンの座を保持し続けてはいたが、常に2位につけ、ボクの座を脅かし続ける子がいた。そのライバルは、クラス一の秀才。ふだんはおっとりとした口調で、休み時間にも教室で本を読んでいるような子だったが、いざ口を開くと女の子とは思えないほどの気の強さで、男子からも恐れられているような子だった。

ある日、そんな彼女が「宣戦布告」をしてきた。「この次は、絶対にオトなんかには負けないんだからね」と言う。どうやら、岡先生が、いつまでもボクにデカい顔をさせておくなという意味の発破をかけたらしい。ボクも相当の負けず嫌い。受けて立った。

「ボクは、次も絶対にチャンピオンになるよ」

「そうはいかないわよ。私はオトになんか、何だって勝てるんだから」

「いや、ボクには誰にも負けないものがひとつある」

「何、それ？　勉強だったら、私も負けないわよ」

「うぅん、そんなことじゃない」

「じゃあ、何？」

「ボクには手と足がないこと」

決して、悔し紛れに発した言葉ではなかった。ボクは、手足がないからボクなんだ。そして、誰も「ボク」になることはできない。子どもながら、そんな自負が芽生えていたのかもしれない。

その頃、国語の時間に「特徴」と「特長」の違いについて学んだ。「特徴」は、「他と比べて、とくに目立つ点」という意味を持つのに対して、「特長」は、「そのものを特徴づける長所」という意味を持っていた。つまり、「特徴」は単なる違いだけを表すが、「特長」は他とは違う、「優れた部分」を表すのだ。

その日以来、ボクは自己紹介などで「特徴・手足がないこと」と書いていたのを、「特長」と書くようになったのを覚えている。

——ボクには、人に負けないものがある。それは、手足がないこと——この言葉の意味を理解できる人は、そう多くはないだろう。しかし、彼女は少し時間をかけて、その言葉を理解してくれたようだった。

スーパービート板

水がコワイ

6年生の夏、水泳記録会が控えていた。学年全員が25mを完泳することを目指している。それは、このボクも同じ。だが、その道のりは、決して平坦なものではなかった。

話を小学校1年生の6月に戻したい。入学してから、体育、遠足、運動会など、次々と新たな問題にぶつかっては、それをクリアしてきた高木先生。次に待ち構えていたのは、「水泳」という壁だった。

当時のボクの身長は70cm強。1m以上の深さがあるプールなど、とてもではないが足がつかない。つまり、ひとりでプールに入ることはできないのだ。

そこで、高木先生は考えた。水泳を見学させるか、参加させるかを考えたのではなく、どのようにしてプールに入れるかを考えた。そして、先生が出した結論は、先生自身がボ

先生も、ボクの恐怖心は十分に理解してくれていたが、どうしてもボクをプールに入れ

ろうよ」と何度か手招きをしてくれたが、最後まで「イヤイヤ」をしていた。

やはり、怖かったのだ。先生がプールのなかから、「少しでいいから、みんなと一緒に入

は結局、入ることができなかった。水着に着替えてプールサイドまでは行ったのだが、その日

プール開きの日。「プールには先生と一緒に入ろうね」と約束していたのだが、その日

に入れるという喜びと、プールがコワイという気持ちとが同居していた。

に対する恐怖心をかき立てた一因だったかもしれない。とにかく、みんなと一緒にプール

ャガイモのような丸っこい手では、水のかかった自分の顔をぬぐえないということも、水

な子だった。まして、足の立たないプールに入るなど、この上ない「危険」だ。また、ジ

うとしなかったし、どんなに喉が渇いていても、水飲み場が込んでいれば我慢をするよ

しては、とても敏感だった。校庭で子どもたちが密集しているところには決して近寄ろ

こうして、ボクのプール参加が決まったのだが、ボク自身は、うれしさ半分、不安半分

任のすべきことですから」と意志を曲げなかった。以前にも書いたが、ボクは小さい頃から危険だと感じることに対

といったところだった。

とではなく、校長先生も「たいへんだよ、疲れるぞ」と心配していたが、高木先生は「担

クを抱いてプールに入るというものだった。体力的な負担を考えれば、とてもできるこ

ようとした。そして、自分の力で浮くところまで上達させようと考えていた。先生が危惧していたのは、「水の事故」。もし、万が一のことがあっても、自分の力で浮くことができれば、誰かの助けが来るまで耐えられるのではないかと考えたのだ。そこで、プールでの特訓の必要性を感じていた。

やった、浮いたぞ

その次の回からプールに入るようになった。まず、先生の腕に抱かれて、水に浸かるところから。これは、あまり怖くない。そして、次に顔を浸ける。口までは平気だが、鼻から上に水が来ると、一気に恐怖心が募る。しかし、なんとか先生の手を借りて、潜るところまではできるようになった。いよいよ、浮く段階だ。

先生の手に支えられて、水の上に仰向けになる。恐怖心からか、手や足に力が入り、体が縮こまってしまう。促されて手足をまっすぐに伸ばすと、先生の手が下にあるものの、浮いているような感覚になる。しかし、ここまで。先生が、「手を離していいか?」と聞いても、「ダメ」と言って、絶対に離させようとはしなかった。

しかし、水の上にうつぶせになり、顔を水に浸ける練習をしている時、先生が支えている手をパッと離した。何分の一秒という短い時間だったが、たしかに、浮いた。

「乙武、浮いたぞ」

先生が盛んに繰り返す。徐々に手を離す時間を延ばしていく。1秒が2秒、2秒が3秒。最後には、10秒以上も浮くことができるようになった。だが、息継ぎをしようと顔を横に向けると、バランスを崩しクルッと体が一回転してしまう。問題はそこからだった。

やはり、何度練習をしても息継ぎができない。そこで、息の続く限り、自分の力で前に進む他ないということになった。しかし、前に進むといっても、手で水をかくことができない。ボクの両足は長さが違うために、両足をいくら動かしても、大きく曲がってしまうか、ひどい時にはその場でグルグルと回転してしまうのだった。そして、6年生の夏を迎えた。

6m。ボクが5年間かけて泳げるようになった距離だ。

彫刻の時間

水泳記録会は、なんとしても25mを泳ぎ切らなくてはならない。25m泳げない他の子も、途中で立ったりしながら泳ぎ切るのだ。しかし、ボクは「立つ」ことができない。そこで、今年は補助具を使っての25m完泳を目指すこととなった。最初に使ったのは、ヘルパーと呼ばれる、浮力のあるダンゴが何個もくっついたようなもの。これを腰に巻いたの

だが、頭が下がって、腰だけが浮いてしまいNG。次に、ビート板にチャレンジ。しかし、これもダメ。ボクがビート板の上に乗っかると、見事に「沈没」してしまう。ボクの体重を支えるには、浮力が小さすぎるのだ。

途方に暮れるボクらの耳に、おもしろい情報が入ってきた。「浮き島」という名の120㎝四方のバカでかいウレタンマットがあるという。これなら、ボクを支えることができるかもしれない。

さっそく、岡先生が買ってきてくれた。本当に大きくて、教室でも、やけにスペースを必要とする代物だった。ボクらは、それをプールサイドに持ち込み、「彫刻」を始めた。

彫刻刀となるのは、カッターや出刃包丁。これを扱うのは先生だ。そして、「助手」を務める子どもたちが、先生の指示にしたがって作業を進める。

先生「いいか、マサヒロ。そっち持ってててくれ」

マサヒロ「先生、カッコいいの作んなきゃダメだよ」

まず、前面を流線形に削り落とす。水の抵抗を少なくするためだ。次に、後ろの部分を体に合わせながら削る。腰から下を大きく振って前に進むため、このウレタンマットに乗せる部分はお腹から上だ。

実際に、何度も乗ってみながら、体にフィットさせる。

先生「よし、ススム。ヒロをこれに乗っけて、試してみよう」

87

Ｔシャツを脱ぎ、ススムがジャボンと水に飛び込む。マットの上にボクを乗せ、そうっと後ろから押す。

ススム「まだダメだ。これじゃ、重心が前すぎて、また沈没しちゃう」

何度も調整を繰り返し、ようやく完成という時、困ったことが生じた。

ミノル「先生、こんなのっぺらぼうのマットじゃ、手のないオトには支えられないよ」

一同「アッ」

そこで、岡先生はマットの左右にふたつ、丸い穴をくりぬいた。まるで、目が描かれたようで、マットが人間の顔のように見えてきた。そして、その穴に手を突っ込めという。

なるほど、そこに手を差し込んでおけば、マットとボクが分離されてしまう心配がなくなる。

こうして、この夏のボクの相棒が誕生した。名付けて、「スーパービート板」。

オバサン、泣いてるよ

９月９日。ついに、水泳記録会の日がやって来た。この水泳記録会は、近隣３校の合同で行われるため、他の小学校の子も見ている。カッコいいところを見せなくては、と意気込んでいた。

第１部　車椅子の王様

「25m自由形・男子」アナウンスが流れると、緊張が高まっていく。いよいよ、相棒との特訓の成果を見せる時だ。しかし、いくら「自由形」と言っても、自家製のビート板を持ち込んで泳ぐなど、前代未聞だろう。そして、あっという間に最終組が呼ばれた。出番である。

「19組　1コース　乙武くん　用賀小」

ひときわ大きな歓声が上がる。なんだか、恥ずかしい。飛び込み台に上がると、鼓動がいちだんと高まるのを感じる。「パン！」心地のよい音と同時に、水面に真っ逆さま。初めての人が見たら、間違えて落ちてしまったのではないかと思うかもしれないが、この夏にずっと練習を重ねてきた、立派な「飛び込み」だ。

いったん沈んだ体が浮き上がってから、ひとかき、ふたかき。そして、先にプールのなかで待ち構えていたミノルとススムがボクをすくい上げ、スーパービート板に乗せる。

「さあ、行ってこい」と言わんばかりに、グイッと押し出す。長旅の始まりだ。

いつものように、なかほどまでは順調なペースだった。しかし、水が冷たい。足が思うように動かなくなってくる。他の子は、どんどん先へと行ってしまい、広いプールにたったひとり。「静寂」という言葉がピッタリだった。

しかし、突如その静寂が破られる。大きな歓声と拍手。しかも、それは他の2校から

89

のものだった。スタート台から飛び込み、ビート板を操り水面を進むボクにあっけに取られていたのが、ようやく我に返ったような感じだった。他校の生徒に応援されるというのは、うれしいけれども、なんだか不思議な気分になる。

1分57秒。ようやく25mを泳ぎきった時には、2分近い時間がかかってしまっていた。しかし、他の2校からはあらためて拍手が送られる。なかなか止むことのない、最大級の拍手だった。

そんななか、ボクのクラスメイトは、岡先生にこんな報告をしていた。

「ほら先生、あそこのオバサンたち、泣いてるよ」

その目は、いかにも不思議なものを見るような目だった。先生は、そのことが何よりもうれしかったと言う。この子どもたちは、乙武をただのクラスメイトとしか見ていない。

そして、乙武が25mを泳ぎきったことも、彼らにとっては大したことではなく、自分たちの仲間が自分たちと同じことをしただけという感覚なのだ。

そこで、先生自身も「その身体で、よくそれだけのことをやった」とボクを抱き上げたい気持ちを抑え、大声で怒鳴っていた。

「1分57秒？　いつもより、ぜんぜん遅いじゃないか」

だが、その言葉の裏には、心からの祝福の気持ちが込められていた。

「おめでとう。オマェを特別視することのない、本当の仲間を得ることができたんだ」

第1部　車椅子の王様

障害者は救世主

迷惑？　足手まとい？

多くの人に支えられ、多くの人に見守られ、6年間を過ごした。ボクが、この間に得たものは計り知れない。普通教育を受けることができて、本当によかったと思っている。

ボクは、養護学校を否定するつもりはない。障害の度合い、症状によっては、特殊な教育を必要とする場合もあるだろう。だが、あくまでも重要なのは、「その子にとって、本当に特殊な教育が必要なのか」という点なのだ。

当時は、障害を持っているだけで「養護学校へ」、もしくは「特殊学級へ」とあたりまえのように分類されていった。「障害を持った人間が普通教育を受けるのは無理」という固定観念からのことだ。しかし、単に障害者だからといって特別な教育が必要なのかというと、決してそんなことはない。

確かに、障害を持った人間が、一般社会（この場合は普通学校）のなかに飛び込んでいけば、ひとりではできないことがたくさん生じてくるだろうし、周囲に迷惑をかけることも出てくるはずだ。だが、小学校時代を思い出してみてほしい。逆上がりのできない子がいれば、得意な子が教えてあげていた。

それと同じ感覚でいいのだ。足の不自由な子がいれば、車椅子を押してあげればいい。耳の聞こえない子がいれば、隣の子が代わりにノートを取ってあげればいい。それだけで、「障害者」と一括りにされている人たちも、普通の教育が受けられるのだ。

だが、今でも障害を持つ子の親が普通教育を希望すると、「あなたのお子さんのような子どもたちのための学校が用意されているのに、どうして、そちらへ行かないんですか」と強く養護学校を勧められる。この理由のひとつには、他の子どもの保護者から非難の声が上がることへの危惧がある。「障害を持つ子がクラスのなかにいると、先生の注意がその子にばかり注がれて、他の子どもたちへの対応がおろそかになるのではないか」といった意見が、その最たるものだ。

障害者がクラスにいると、まわりの迷惑となる、足手まといになる。その考え方は、果たして真実を伝えているのだろうか。

○×ゲーム

4年生の運動会で、棒体操が行われた。棒をモチーフとしたダンスで、ふたりで1組のペアになって踊る。昨年までのこのような機会では、ボクのペアの相手は、必ず高木先生だった。

しかし、4年生になった今年は、子どもたちの方から「オトちゃんの相手は、ボクたちがします」と言ってくれた。もちろん、ボクとペアを組んだ相手はスピードもゆっくりになり、できない部分も出てくる。自分を抑えなければならなくなるわけだから、先生はボクを子ども同士で組ませてよいものか迷ったそうだ。だが、せっかく子どもたちの方から言い出してきてくれたことだからと、任せてくれることとなった。

運動会の終了した4日後、保護者会が開かれた。その会で、ボクとペアを組んだ子のお母さんが、こんな感想を述べている。「うちの子と乙武くんをペアにしていただいて、本当にありがとうございました。一緒に踊ったり、最後に車椅子を押して運動場を1周したりと、感激で言葉もありません。うちの息子は、本当に幸せ者です」と、何度も繰り返していたという。

ボクと組ませたことで叱責されこそすれ、感謝の言葉を言われるなんて思ってもみなか

った先生は、思わず面食らってしまったらしい。それだけ、他の保護者の方々は、ボクの

ことを温かく見守ってくださっていたのだろう。

家庭訪問で他の子どもたちの家を訪れても、ボクが話題に上る機会が多かったそうだ。

「乙武くんがこのクラスにいるということは、周囲にとって、とてもプラスになっていま

すね。うちでも、『乙武くんは、体が不自由なのにあれだけ頑張っているのだから、あな

たも頑張りなさい』と、ついつい引き合いに出してしまうのですよ」

こんなこともあった。高木先生が出張で不在の時、隣のクラスの先生が代わりに体育

の授業をしてくれた。「体育倉庫からボールをひとつずつ持ってらっしゃい」と言うと、

何人かの子が、両手にボールを抱えて戻ってきたという。先生が、「何してるの。ボール

はひとり1個って言ったでしょ」と注意すると、「乙武くんに持って来てあげたの」と答

えたそうだ。

その後、順番に交代しながらボクのボールの相手をする子どもたちを見て、その先生

は高木先生に、「1組の子どもたちは、みんなとても親切な子たちなのですね」と報告し

た。もちろん、高木先生は、鼻が高かったに違いない。

2〜3年まえに行われた6年1組の同窓会の席上で、岡先生から言われたことがある。

「ヒロがいてくれたおかげで、困ってる子がいたら自然に助け合いのできる、優しいクラ

スに、すばらしいクラスになったんだ」

これは、岡先生特有の、ボクに劣等感を感じさせないための優しさだったのかもしれない。だが、まったく的外れなことでもないように思う。保母をしている友人から、こんな話を聞いたことがある。

「この春から、ダウン症の子を受け持っているの。やはり、最初のうちは子どもたちもビックリして、その子を遠巻きにしていたのだけれど、1〜2ヵ月と経っていくうちに、その子を中心としてクラス全体に優しい気持ちが芽生えるようになったの」

ここに挙げた例だけでなく、このような話はあちこちで耳にする。障害を持っている子がクラスにいると、そのクラスは必ずと言っていいほど、すばらしいクラスになるようだ。

そして、用賀小学校では、その効果はクラス内だけにとどまらなかった。ボクが入学したばかりの4月。毎年恒例の「1年生を迎える会」の準備が進められていた。企画を担当していた6年生たちが、決まったことを先生方に報告する時に、こんなやり取りがあったそうだ。

「今年のゲームは、○×ゲームをすることにしました。○だと思う人は首を縦に振り、×だと思う人は首を横に振ります。内容は……」

「チョ、チョット待って。何百人もいるんだから、そんなんじゃ、誰が正解したか分からないんじゃないの」

と、先生が遮る。

「でも、先生。今年は乙武くんがいるでしょ。乙武くんは、こうしないと参加できないでしょ」

あたりまえのことのように言う子どもに、先生方は顔を見合わせ、しばし返す言葉がなかったという。

目の前にいる相手が困っていれば、なんの迷いもなく手を貸す。常に他人よりも優れていることを求められる現代の競争社会のなかで、ボクらはこういったあたりまえの感覚を失いつつある。

助け合いができる社会が崩壊したと言われて久しい。そんな「血の通った」社会を再び構築しうる救世主となるのが、もしかすると障害者なのかもしれない。

第2部

中学・高校・予備校時代

全力疾走

ドリブルの名手!?

ウヘッ……!!

　中学への進学が最もスムーズだったような気がする。用賀小学校から用賀中学校へ、慣れ親しんだ級友と共に地元公立校への進学というのは、やはり心強いものだ。中学校側からもとくに反対はなく、すんなりと受け入れてもらうことができた。小学校の高学年からは付き添いもなく、人一倍、楽しそうに学校生活を送っていたのが、中学校側から評価されたのだろう。

　さて、中学といえば部活。中学校は、本格的にクラブ活動が始まる時期だ。一体、ボクがどんなクラブに所属していたのか。想像するのはむずかしいかもしれない。両手も両足もない。電動車椅子に乗っている。これだけ重度の障害を持っていれば、クラブ活動には参加せず、家に帰って本を読むだとか、入ったとしても、あまり体を動かすことのない

文化系のクラブに入るのが一般的だろう。しかし、彼は何を血迷ったのか、ナ、なんとバ

スケットボール部に入部したのだ！

入部の動機は、いたって単純。中学・高校くらいまでだと、元気で活発な子は運動系のクラブへ、真面目でおとなしい子は文化系のクラブへと分かれていく。ボクの友達には元気で活発（で先生に叱られる？）なヤツが多く、ほとんどの友達が運動系のクラブへ入部していたので、「友達が入っているのだからボクも」と考えたのだ。ん～、何て単細胞

……。〈入りたい→入部〉の過程に、「やっぱりボクには無理だろうか」とか、「まわりのみんなに迷惑がかかるかもしれない」という考え方が、すっかり抜け落ちてしまっていた。

まず、この「マグニチュード7・8」の激震は乙武家を襲った。問題児の突飛な行動に慣らされ、ちょっとやそっとのことでは驚かなくなっていた両親も、さすがにこの時ばかりは驚いた。呆れた。

父「ウヘッ……‼」

母「どういう精神構造をしているのかしら、うちの息子は」

ボクが生まれた時、両親は「強い子に育てる。障害を盾に逃げるような子だけにはしない」と教育方針を定めたが、この時ばかりは「やりすぎたか」と反省したとか。

しかし、この問題児、何を言っても決心を変えない。困り果てた両親は、教頭先生に電話で相談した。

母「あの〜、先ほど息子が学校から帰ってまいりまして『バスケ部に入部してきた』と言ってケロッとしているんですが……」

教頭先生「え〜、ま〜、顧問の先生とも相談したんですが、ご本人がやりたいとおっしゃっていることですし……」

母「他の生徒さんにも、ご迷惑が……」

教頭先生「まぁ、試合に出るわけでもありませんから……」

監督

「ピーッ！」審判の笛が鳴り響く。

「選手交代、用賀。ナンバー8」

相手チーム、観客がいっせいに用賀ベンチを振り返る。が、誰も立ち上がろうとしない。監督だけが不敵な笑みを浮かべている。ふと視線を下に移すと、ズリズリとお尻を引きずりながら出てくる選手が。出てしまったのだ、試合に！

出る方も出る方だが、出す方も出す方だ。顧問の先生は、一風変わった、いや、かなり

変わった先生だった。一言で言うならば愉快、豪快。坊主頭にヒゲをたくわえ、熊のような巨体を揺らし、のっしのっしと歩く。授業中、ぼんやりと外を眺めていると、なぜか太極拳のような構えをしている人影が。われらが監督だった。とにかく既成の枠にとらわれない、用賀中の誇る「名物」先生なのだ。

だが、奇抜なだけではない。何があっても動じない。何事も受け止めることができる。その懐の広さも、この先生の持ち味だ。学校側も、バスケ部の顧問がこの先生だったからこそ、「乙武入部」を認めてくれたのかもしれない。

話は前後するが、「入部したのはいいけど、一体どうやってバスケするんだ」と、不思議に思われるだろう。シュートが打てるほど高くまでボールを放ることはできなかったが、小学校時代のドッジボールで鍛えた（？）肩で、ある程度の距離にいるチームメイトへパスを投げることはできた。だが、それだけで試合に出ることはできない。ボクには「売り」があった。

それは、ドリブルだ。「車椅子バスケット」というスポーツがあるくらいだから、車椅子に乗ったままのドリブルを想像されるかもしれない。だが、ボクの場合は違った。車椅子から降りて、自分の足で動く。もともと、すばしっこさには自信があった。ちょこまかとした動きは、お手のもの。あとは、その動きにボールを組み合わせればよいのだ。言い

換えれば、ボールをつきながら、いかにスピードを落とさず、すばやい動きができるか。

これが課題だった。

まずは、ボールを正確につく練習から始めた。「ダムダムダムダムダムダム」なかなかむずかしい。普通の人がボールをつく場合、腰よりやや低い位置で行うので、ボールが地面について跳ね返ってくるまでに、若干の余裕がある。ところが、ボクの場合は普通の人のふくらはぎくらいの位置でドリブルをするため、ボールが地面についてから返ってくるまで、わずかな時間しかない。そのため、人一倍、腕を動かし続けていなければならない。これがたいへんだった。

次に、動きながらのドリブル。これが、またむずかしい。ようやく、まともにつけるようになったボールも、いざ自分の体も動かす段階となると、なかなか言うことを聞いてくれない。自分の足にぶつけたり、あさっての方向へ転がしてしまったりと悪戦苦闘だ。しかし、少しずつ練習の成果が現れはじめ、いつの間にか、走る時とほとんど変わらないくらいのスピードでドリブルができるようになっていった。

「百聞は一見に如かず」とは、よく言ったものだ。いくら微に入り細に入り説明しても、なかなかイメージがつかみにくいのではないかと思う。みなさんの前で実演できないのが本当に残念！

特訓の日々

その上達ぶりにチームメイトも驚きはしていたが、彼らは小学校の頃からボクを見てきたので、これくらいのことはやるかもしれないと予想はしていたようだ。むしろ驚いたのは先生の方だった。バスケ部に入りたいと言っても、まぁ体を動かす程度だろうという腹づもりだったはずだ。しかし、ここからの先生の反応が素晴らしかった。

先生「乙武、だいぶ上手になったな。先生もビックリしたよ。ただ、左手だけじゃなく、今度は右手でのドリブルも練習してみたらどうだ」

乙武「利き手の左でも、やっとうまくつけるようになったばかりなのに、右手でなんて無理ですよ。やったことないですし」

先生「だから、練習するんじゃないか」

なるほど、言うとおりだ。「まず、やってみる」がボクの売りなのに、先生にお株を奪われてしまった。今度は右手で、一から出直しだ。まずは、ただボールをつくだけの練習。ふだん使うことの少ない右手だと、この段階ですでに苦しい。まっすぐにボールをつけないのだ。ようやく、できるようになると、今度は体を動かしながら。左手でボールを扱っている時とは、まったく勝手が違う。ちっともボールが言うことを聞いてくれない

し、動きもぎごちない。左の時ほど、上達も早くない。

また、ボールと格闘する日々が続いた。次第に右手でボールを扱うことにも慣れ、左右どちらでもドリブルができるようになった。とにかく先生に見てほしかった。最初は、まともにボールをつくことすらできなかった右手で、今ではドリブルができるようになったのだ。その進歩に、自分自身が舞い上がっていたのかもしれない。右でのドリブルを、先生の前で得意気に披露した。しかし、先生の示した反応は意外なものだった。

先生「よし、いいぞ乙武。今度は左右のドリブルを続けてやってみろ。その切り返しをすばやくするよう練習するんだ」

乙武「……？？？」

先生「相手が右から来たら左でドリブル。左から来たら右でドリブルだ。その切り返しを早くすれば、相手がボールを取りにきてきても、そう簡単には取られないぞ」

相手がボールを取りにくる？　そんな相手、どこにいるんだ。アッ、そうか試合か。先生は、この課題がうまくできるようになれば試合に使ってくれるつもりなんだ。左から右へ。右から左へ。すばやく体を入れ替える。その間に、スピードが落ちないようにしなければならない。「相手」を意識して、ボールと反対側に体を回すようにも心がけた。やはり、右でのドリブルがネックになり、なかなかうまくいかな

猛特訓をした。

い。体を入れ替える時に、どうしてもボールをこぼしてしまう。単調な練習に飽きることともあったが、決して投げ出すことはしなかった。

「試合に出てみたい」その一心からだ。今から考えると、ただの思い込みだったのかもしれない。先生は試合のことなどは頭になく、ただ単にボクを飽きさせないよう、新たな課題を与えただけだったとも考えられる。それが、ボクがあまりにも「試合、試合」と意気込んでいるものだから、ついに出さざるをえなくなったというのが事実だったとしたら、苦笑せずにいられない。

秘密兵器

真相がどうであれ、出てしまえばこっちのもの。やはり試合に出るのは気持ちのいいもの。バスケを少しでもかじったことのある方なら分かると思うが、ドリブルというのは低ければ低いほど、相手は取りにくいものだ。ボクがドリブルをすれば、必然的に相手の膝よりも低い位置になる。名付けて「超低空ドリブル」だ。

相手チームは、度肝を抜かれただろう。「こいつ、まともに歩けるのか」くらいにしか思っていなかったヤツが、なんとドリブルを始めてしまうのだ。しかも、自分の膝よりも低い位置を駆け抜けてゆく。まごついている相手の横（下？）をすり抜け、得意のドリブ

ルで敵陣まで攻め上がる。これが、ボクの役目だった。

キャプテンは、3ポイント・シュートのとてもうまい男だった。彼が相手のマークを振り切って、ボクのパスの届く範囲まで来てくれる。ボクはディフェンスにカットされないよう、彼にパスを送る。ボールを受け取った彼が、振り向きざまにシュート！　これで3点獲得。自称「秘密兵器」の大活躍だ。

しかし、秘密兵器などと名乗っていても、少しでも強いチームが本気になってボールを奪いにきたら簡単に取られてしまうし、ディフェンスなどはザル同然。事実上、4対5で戦っているようなものだ。それにもかかわらず出場機会を与えてくれた監督にはもちろん、チームメイトに心から感謝したい。実は、ボクが「バスケ部に入部したい」と言い出した時、先生に「ボクたちで面倒を見るから」と説得してくれたのは彼らなのだ。練習中も迷惑をかけた。体育館の隅でボクがドリブルの練習をしていたボールがコートの方へ転がってしまい、何度、彼らの練習を妨げてしまったことだろうか。しかし、彼らは嫌な顔ひとつ見せない。

「さぁオト、落ち着いて行こう。後ろから俺たちがフォローするぞ」と必ず声を掛けてくれた。後輩たちだって、試合に出たかったに違いない。だが、その気持ちを抑えて、一っ

生懸命ボクを応援してくれた。試合会場までの送り迎えをしてくれる後輩もいた。

こんなワガママで、ムチャクチャな願いを聞き入れてくれ、楽しいクラブ活動の思い出

を作れたのも、みんなの協力があってこそ。ボクの試合出場、それは即ちチームワーク

のよさの象徴だと、心から誇りに思える。

卒業アルバムを開くと、8番のユニフォームを着てにっこり笑っているボクがいる。

この笑顔、みんなからの贈り物だ。

お祭り男

アイツとの勝負

「お祭り男」と、よく言われる。たしかに祭りは大好きだ。地元の神社で行われる縁日には必ず行ったし、笛や太鼓の音を聞くと鼓動が高まるのを感じる。

本当の祭りだけでなく、「お祭りごと」も大好きだ。花見、誕生日、遠足、花火大会、学芸会、クリスマス、お正月……学校の行事であろうがなかろうが、「イベント」と聞くと、どうしても血が騒いでしまう。

中学校の行事といえば運動会に文化祭。このふたつが2大イベントだ。さすがに運動会では、気分は盛り上がっても体がついていかない。障害者が運動会で主役の座を勝ち取るなんて、夢のまた夢だ（保護者の声援と拍手を得るということに関して言えば、「主役」だったかもしれないが……）。そこでボクは、文化祭に照準を絞った。文化祭に関わりた

い。文化祭を創りたい。そして何より、文化祭を楽しみたい。そう思った。

文化委員というのが各クラスから男女1名ずつ選ばれる。体育委員が運動会や球技大会など、スポーツに関する行事を準備するように、この文化委員が文化祭、卒業生送別会、新入生歓迎会など文化系行事に携わる。さらに、その上に文化委員のまとめ役として「文化実行委員」というのがいて、各学年から男女1名ずつ選ばれる。文化委員が学級会で選ばれるのとは違い、この文化実行委員は学年ごとに行われる選挙で選ばれる。ただ自分が「なりたい」と思っただけではなれないのだ。ボクはこの文化実行委員に立候補した。1年生の後期のことだった。

ライバルは、向かいのマンションに住むアイツ。縁日の翌日に、お金を拾いに行こうと提案した「1丁目・悪ガキトリオ」のひとりだ。運動もできれば勉強もできる。運動会で彼とは小学校時代から学級委員を争ってきた仲だ。お互い「目立ちたがり屋」根性では、は応援団の団長を務めるなど、強力なリーダーシップの持ち主で、なかなかの強敵だ。一歩もひけをとらない。雌雄を決する時が来た。

ほんの十数票。わずかな差だった。彼が勝っていても、おかしくなかった。ボクは、この日のことを今でも覚えている。放課後、祈るような気持ちで結果を待っていた。彼も同じだ。開票。当選したのはうれしかったけれど、やっぱり複雑だ。正々堂々と闘った

けれど、なんだか彼に悪い気がする。

家は近所。当然、帰り道は一緒だ。

「今日、オマェん家に遊びにいくよ」

ホッとした。うれしかった。家に着いた時のことは、さらに鮮明に覚えている。

「おばちゃん、オトに負けちゃったよ。ほんのチョットの差だったんだ。悔しいな」

「それなのに遊びにきてくれたの？　いいわねぇ、男の子は、サッパリしてて」

違うよ、男だからサッパリしているわけじゃない。自分の悔しい気持ちを抑えてまで。アイツ、今頃どうしてるかな。あの頃からの夢だった医学部には進んだのかな。だいじょうぶ、オマエだったら、きっといいお医者さんになるよ。

立候補

文化実行委員の仕事は思っていた以上に楽しかった。看板を作ったり、ポスターを塗ったり貼ったり。作業は放課後。必然的に先生と親しくなれた。文化祭などの行事に積極的に関わるのは若い年代の先生が多かったので、友達感覚で話すことができた。夕方遅くまで残って作業をしていると、目の前に出前のラーメンが！　なんと教頭先生からの差し

入れ、な〜んてこともあった。また、文化実行委員は各学年から選ばれているため、先輩と接する機会も多い。中学の頃の1学年の差というのは、驚くほど大きい。えらく「お兄さん、お姉さん」に見えたものだ。それだけに得るものは大きかった。

でも、何か物足りない。次第にそう思うようになった。ボクらは、そのイベントで何をするかが決まった段階で初めて参画し、準備に携わる。それだけじゃイヤだ。「何をするか」そこが大事なんじゃないか。その「意思決定機関」は、5人の頭脳に委ねられていた。生徒会役員だ。

会長、副会長に、文化・体育・生活（美化、清掃担当）の各実行委員長からなる。文化祭の責任者は生徒会長ではなく、この「文化実行委員長」だった。文化実行委員として仕事をしているうちに、「長」への憧れが芽生え始めた。

2年生の12月、生徒会役員選挙のシーズンがやってきた。ボクはもちろん、「文化実行委員長」に立候補したのだが、この時、意外なライバルが現れた。水泳部の男子。今まで、委員などにはあまり参加しないタイプの子だった。「生徒会の役員になると内申点がプラスされる。彼は、その加点が欲しくて立候補したのだ」そんな噂が流れた。

ボクは燃えた。その噂が事実だったのかは今でもわからないが、入学してからここまで3期連続で文化実行委員を務めてきた自負がある。成績目当てで立候補したヤツなんかに負けるわけにはいかない。

中学校ながら、選挙に際して演説が課せられるのだが、なかでも先輩たちの教室をまわるのがいちばんの難関。昼休みなどの時間に各教室をまわるものだ。やはり緊張するものだ。

そこに強力な「助っ人」が現れた。現・文化実行委員長、3年生の「若サン」だ。1学年上の先輩で、ボクが1年生の頃から実行委員会で一緒に仕事をしていて、非常にかわいがってくれていた。

野球部の主将も務める彼は、とても朗らかな性格で、みんなから慕われていた。「俺が応援演説してやるよ」この一言が、どんなに心強かったことか。

ボクが話をした後、若サンにバトンタッチ。この2年間のボクの仕事ぶりなどを話してくれた。若サンの3年生の間での人気は絶大だ。持ち時間である5分間をボクが話し続けるより、はるかに効果があっただろう。

後輩たちにも協力を求めた。実行委員やバスケ部、近所で顔なじみの後輩たちに、ボクが教室を訪れたら、その場を盛り上げてくれるよう頼んだ。

「よっ！　乙武サン‼」

威勢のいい掛け声が飛ぶ。あいつら、やりすぎ……とも思ったが、確かにその場は盛り上がった。ボクのことをあまり知らない1年生も「あの先輩、こんなに人気があるんだ」と思ったことだろう。

激しい選挙活動が功を奏し（⁉）、結果は大勝だった。5つの役職のうち、文化実行委

員長には最多の3人が立候補していたが、ボクは3分の2近い票を集めた。もちろん、若サンや後輩たちのおかげだ。

それにしても、この中学校も恐いもの知らず。車椅子に乗る障害者をバスケ部に入れただけでなく、今度は生徒会役員にしてしまった。

空き缶回収と肝試し

1月4日、当選の決まった5人が集まった。場所は明治神宮。これからの生徒会活動の成功を願っての初詣でだ。「元旦に行った方が気分が出るよね」という話も出たが、ボクが車椅子のため、混雑する三が日を避ける配慮をしてくれたのだ。チームワークも完璧だ。

〈この素晴らしい仲間たちと、最高の文化祭を創れますように……〉

仕事は文化祭だけではない。運動会を始め、学校のあらゆる行事が任された。行事のたびに開会・閉会の挨拶をするなど、みんなの前で話をする機会も増えていった。

朝礼時に全校生徒を整列させるのも重要な仕事のひとつ。

「静かにしてください。各クラス2列に、まっすぐ並んでください」

それまでは友達としゃべってばかりいて、ちっとも並ぼうとしなかったボクが、まさか並ばせる側に立つなんて、思ってもみなかった。

例年どおりのことだけでなく、新しいことにもチャレンジした。まず、4月から始めた朝の「おはよう運動」。一般の生徒よりも30分ほど早く登校し、正門で待機する。そして登校する生徒に「おはようございまーす」と声をかけるのだ。朝からポケットに手をつっこんで、下を向いて歩いているような生徒に、元気を出してもらおうという、とてもおせっかいな活動だった。

次に始めたのは「空き缶回収」。街の美化を図るとともに、回収した空き缶を換金し、募金するのが目的だ。集め出したら、あるわあるわ。これほどポイ捨てが横行しているのかと、反省させられた。少し集まると、もっと集めたくなってしまった幼稚なボクら。調子に乗って、用賀周辺の酒屋さんに掛け合った。

「すみません、こういう事情で空き缶を集めてるのですが、週に2度ほど回収に来てもよろしいでしょうか……」

OKは出してくれたものの、どこの酒屋さんも閉店間際の時間帯に来てくれとの返事。そこで回収作業は夜間へ移行された。8〜9時。中学校の生徒会が活動する時間ではない。しかし、夜の街を探検しているようで楽しかった。

そうして回収を続けていたある日のこと。「今日は大漁！　気分がいい。このまま、みんなで公園にでも行こうぜ」体育実行委員長の提案で、近所の砧公園へ。だだっ広〜い

115

緑地公園で、夜は真っ暗。かなり不気味だ。知らないうちに姿が見えないヤツがいると思ったら、突然、「ワッ！」と脅かす声。これには参った。その後は、誰かが持ってきた懐中電灯のまわりで怪談。空き缶回収のはずが、いつのまにか肝試し大会になっていた。

家に帰ると、12時を回っていた。さすがに、親に叱られた子もいたようだが、今となってはいい思い出だ。ひょっとすると、この5人「生徒会役員＝用賀中の看板」どころか、ただの問題児集団!?

NEW文化祭

生徒会活動にも慣れてきた3年生の秋。いよいよ最後の文化祭だ。通常の文化祭はクラス対抗の合唱コンクールと、美術や技術・家庭で作った作品の展示という2本立て。

生徒たちは、このふたつに向けて猛練習＆居残り作成などをする。

そこでボクたちは考えた。みんなが一生懸命に取り組んで、それで終わりという文化祭よりも、何か楽しめるようなアトラクションを企画したい。ちょうど、その年に体育館が新築され、「新体育館完成記念」と、口実にはもってこいだ。「楽しい文化祭。思い出に残る文化祭」これが合い言葉だった。

今までどおりの文化祭を準備するのでも、たいへんなこと。ただ、これまで2年間の経

第2部　全力疾走

験もあるし、先輩たちがやってきたことも見てきた。開催に際しての段取りも覚えたつもりだ。例年どおりの文化祭を行うだけなら自信はあった。しかし、今回は新たな取り組み。言ってみれば「NEW文化祭」だ。経験もなければ、過去の資料もない。すべてが初めてのこと尽くめ。企画の段階から頭を悩ませた。いつ頃までに何を決定し、何を準備しなければならないのかというスケジュールも不安要素のひとつだった。

だが、同時に楽しかった。誰もが初体験な分、「みんなで創っている」という実感を味わえた。会場への入場曲ひとつ決めるのにも「あーでもない、こーでもない」とたいへんな騒ぎだった。

「元気が出るような曲がいいよ。『24時間、戦えますか』（某ドリンク剤のCMソング。当時、大ヒットしていた）なんてどうかな」

「やっぱり、しっとりした名曲。ビリー・ジョエルの『HONESTY』なんかいいな」

1階の廊下の突き当たりに「生徒会室」という部屋があった。3年生で部活も引退した先輩知恵ボクらは、授業が終わるとそこへ直行。額を突き合わせ、文化祭へ向けてあれこれ知恵を絞っていた。

当日のアトラクションの部分が決まった。クラス対抗で争う、ゲーム形式のものを用意することにした。というのも、合唱コンクールの練習のために、最もクラスの団結が固

くなっているのが、この時期なのだ。そこで、クラス対抗で遊べるようなものを用意したら、大いに盛り上がるだろうし、想い出にも残るだろうと考えたのだ。

先生方も、最初はいい顔をしただろう。しかし、最後は、ボクらに自由に決めさせてくれた。ここまで一生懸命に仕事をしてきた「ご褒美」だったのかもしれない。

通常の文化祭のプログラムを終え、生徒たちが体育館に集まる。いよいよ、イベントの始まりだ。各クラスの代表者が、壇上に上がる。机の上に並べられた洗面器のなかに顔を突っ込み、何秒間、耐えられるかを競うゲームなどをした。さすがに、年配の先生方の顔には、不快な表情が見て取れた。

だが、会場は盛り上がった。合唱コンクールが終わった後のクラスの異様に盛り上がった雰囲気を、そのまま終わらせるのはもったいない。なんとか生かせないものだろうかと考えていたボクらの思惑は、見事に当たった。だが、そのボクらも、ここまで熱狂的に盛り上がるとは思っていなかった。

たしかに、「文化祭」の内容としては、ふさわしいものではなかったかもしれない。ただ、生徒たちの望んでいるもの、ボクらのやりたかったことを達成できたということでは、満足のいく「文化祭」だった。

やっぱり、イベントは楽しくなくっちゃ。だって、ボクは「お祭り男」なんだから。

ヤッちゃん

指定席

子どもたちの心が最もすさむのが中学校時代と言われる。友達との人間関係、これからの進路、そして恋愛。彼らは多くの悩みを抱えている。常に漠然とした不安に襲われ、イライラしている。「勉強しなさい」としか言わない親に、規則で縛るだけの先生。そのイライラは募るばかりだ。そして、その矛先は時代を問わず、弱者へと向けられていく。最も「いじめ」が多いのも、この時期だ。

そこに障害者——社会的弱者と言われる人間が入っていくと、どうなるのだろうか。

中学校入学に際して、周囲が最も心配してくれたのは、この点だった。まわりの友達がなかよくしてくれるのもここまで。中学に入り、みな大人になっていく。今までどおりに遊んでくれないかもしれないし、世話もしてくれないかもしれない。ボク自身も不安がない

わけではなかった。

まして、中学校には隣の小学校からの進学者も半数近くいる。彼らとは新たに友人関係を築いていかなければならない。小学校に入りたての6〜7歳で友達になるのと、物心ついた12〜13歳で親しくなろうとするのでは大きな違いがある。小学校入学時には友達づくりにおいて大きな武器であった「障害」が、今度はハンデとなってボクにのしかかってくる。うまくやっていけるだろうか……。

話はさかのぼるが、1年生のクラス発表。やはり、知らない顔ぶればかりだ。友達になれそうな子はいないかと、教室中を見回す。ワイワイガヤガヤ、騒がしい教室のなか、ひとりだけ、つまらなそうに机に突っ伏している男の子がいる。「ヤッちゃん」との出会いだ。

彼とは同じ小学校から来たが、一度も一緒のクラスになったことはなく、ほとんど話もしたことがなかった。頭の回転が速く、決して勉強のできない方ではなかった。運動神経もよく、水泳では世田谷区で5本の指に入るほど。6年生の時には、他のクラスでリーダー的存在だった。

そんな彼が、中学に入って少しずつ変わり始めた。何事をするにも面倒くさそうで、次第に授業もサボるようになっていった。クラスメイトとも、ほとんど会話を交わさない。

制服のポケットからはタバコが見え隠れしていた。先生たちからは、いわゆる「不良」と呼ばれる生徒だった。

ボクは、強烈に彼に惹かれていった。ボクの持っていないものを持っている、そう感じた。

長身でハンサムな彼は、女の子からも人気が高い。男のボクから見ても、カッコよかった。物事を斜めから見るような彼の姿は、独特の存在感を放っている。まだまだ小学生に毛が生えた程度の中学1年生のなかで、彼はえらく大人びて見えた。

彼には指定席がある。自分の席ではなく、そこは階段の踊り場だった。彼はいつもそこに腰掛け、ボーッと考え事をしている。ひとりの時もあれば、仲間と一緒の時もあった。

ある休み時間、ボクはふと階段を見上げた。いつものように、彼はそこにいた。ひとりだった。確か、その前の授業中に調子が悪いと言って保健室へ行ったはずだった。

「彼と友達になりたい」以前からそう思っていたのだが、なかなかチャンスがなかった。気が付くと、階段を上っていた。一歩一歩近付くたびに、胸が高鳴る。まるで、これから好きな女の子に告白でもするかのように。彼の隣にちょこんと座る。胸のドキドキは最高潮だ。彼はチラッとこちらを見たが、さして気にする様子もない。ホッとした。内心、

「俺の場所だ。ジャマするんじゃねぇ」と、どやされるのではないかとヒヤヒヤしていたのだ。

彼と何を話したのか覚えていない。ほとんど話をしなかったのかもしれない。ただ、今まで感じたことのない、なんとも形容しがたい居心地のよさだけは覚えている。その居心地のよさが、ボクにまで「指定席」をつくってしまった。

孤独なリーダー

彼は「ワル」だったかもしれないが、人格的な「ワル」では、決してなかった。多発する「いじめ」には加わらなかったし、自ら好んではケンカもしなかった。

まわりの人間に対する優しさも、彼の魅力のひとつだろう。嫌われている先生がいた。その先生の授業が始まる前に、ある男の子が黒板消しを教卓の上ではたき、チョークの粉だらけにした。嫌がらせだ。当然、その先生は怒った。担任の先生へも報告した。その結果、真っ先に疑われたのがヤッちゃんだった。

先生方の白い目が、いっせいに彼に向けられる。担任の先生からも、厳しく詰問されたようだ。ヤッちゃんは、そんなことはしない。そんなつまらないことをして喜ぶほど、幼い人間ではないのだ。しかし、彼の取った態度はボクたちクラスメイトを驚かせた。何ひとつ言い逃れをせず、真犯人の名を口にすることなく、身に覚えのない罪を着せられていったのだ。

ボクはヤッちゃんに厳しい口調で迫った。初めてのことだったかもしれない。

「どうして本当のことを言わないの？　本当の犯人が誰か、みんなが見ているよ」

「いいんだよ、オト。どうせ俺は目を付けられてるんだから。あいつ（事件を起こした子）が、かわいそうじゃん」

それ以上は何も言えなかった。彼の男気にますます惚れ込むと同時に、自分自身に諦めを抱いているヤッちゃんが悲しく思えた。

そんな彼のもとに人は集まった。やり場のない想いをひとりでは抱え切れずにいる少年たちが。彼は、相談に乗ってあげるでも、何かをしてあげるでもなかった。それでも人は集まった。きっと、みんな彼のそばにいるだけでよかったのだろう。それだけで何かが救われる気がしたのかもしれない。そして、ボクも、そんなひとりだったのかもしれない。

だが、彼は淋しそうだった。仲間に囲まれていても、なぜか「ひとり」だった。彼が漂わせるその孤独感は、逆にボクを淋しくさせた。「この人のことをわかってあげたい。この人に信頼されたい」と。

事件が起こった。彼の仲間が、彼の名前を使ってケンカをした。人望もあり、用賀中のナンバー1（ボス的存在）だった彼は、他校に対しても名前が通っていた。ケンカを起こした子は、「ヤッちゃん」の名前を出したらなんとかなると思ったのかもしれない。

前にも書いたが、ヤッちゃんはもともと、争いごとを好む方ではなかった。ただ、仲間内で何か問題が起こるとみんなが彼を頼るので、いつも争いの渦中にいた。そうして、その名前だけがひとり歩きしていくのだ。今回も同じだった。まったくトラブルなど起こす気のなかった彼が、他校との争いに巻き込まれていくことになっていった。

それ以来、彼はますます孤独感を強めていった。少なくとも、ボクにはそう見えた。そして、彼の方が仲間から離れていくような時期があった。そういった、ややこしい世界が面倒くさくなったのかもしれない。

その事件にまったく関わりのない、それどころか事情すらよくわかっていなかったボクは、彼にとって居心地がよかったようだ。ふたりでいる機会が多くなった。休み時間になると、ボクらはいつも「指定席」にいた。休み時間だけでなく、次第に授業を抜けてまで行くようになった。もちろん、いけないことだとは思っていたが、「一時のことだから」と自分に言い聞かせていた。

ボクは知っていた。彼が、再び仲間のところへ戻っていくことを。彼がそれを望むかどうかは別として、彼の仲間が用賀中のナンバー1「ヤッちゃん」を放っておくはずがない。ヤッちゃんは、そんな彼らを見捨てられるほど薄情な男ではなかった。ただ、今はお休み中なのだ。少し疲れたから、今までの世界とは関

係のない場所で少し休みたくなり、その休息中の相棒にボクを選んでくれたのだろう。

天気のいい日には、授業を抜け出して近くの公園へ行った。何をするでもなく、ボーッとしている。彼は、気だるそうにタバコの煙を吐き出す。

「オトも吸うか？」

「いや、俺はいいよ」

「そうか」

それ以上強要することは、決してしない。授業をサボっているという後ろめたさが、まったくなかったわけではなかったが、彼と一緒にいられる喜びの前では、吹き飛ばされてしまうほどのものだった。

ボクの守護神

そんなボクに対して、先生方はあまりいい顔をしなかった。さすがに、ボクが彼にいじめられているとは思っていなかったようだが、ボクのことを悪い道へ引っ張り込もうとしているのではないかと思っていたようだ。ヤッちゃんも、先生から「乙武に、あんまりからむな」と言われていたようだし、ボクも、「あいつとは、あまり関わるな」と釘を刺されていた。先生方は誤解しているようだ。

話を冒頭に戻したい。心のすさんだ中学生たちのなかに、弱者と言われる障害者が入っていった場合、どうなるのか。おそらく、「いじめ」が起こるだろう。とくに、当時のボクは鼻っ柱が強かった。バスケ部にも入っていたし、委員などもやっていた。学年でも「目立った」存在だった。裏を返せば、「生意気な」存在だったに違いない。正直、「あの障害者、ムカつく」と感じていた子もいただろう。しかし、ボクは「いじめ」に遭わなかった。

やはり、ヤッちゃんの存在が大きかったのだと思う。畏怖、憧れ、尊敬……他の生徒が、彼に対して抱いていた想いはさまざまかもしれないが、一目置かれた存在だったことは間違いない。その彼の横にひっついていたボク。いじめの対象には、なりにくかっただろう。言わば、彼はボクの守護神だった。

たしかに、彼は勉強ができて、先生の言うことをよく聞く「優等生」タイプの子ではなかった。もっと言えば、先生方から目を付けられている「問題児」「不良」だったかもしれない。ただ、その彼に何人もの生徒が救われたことだろう。先生にも相談できないような悩みを、その存在のみで解消させてしまう力を持った彼に、「落ちこぼれ」というレッテルを貼るのが、本当に正しいのだろうか。

卒業後、ヤッちゃんが訪ねてきてくれた。

「スゲェな、オトは。優秀な高校に行ってて。オレなんか結局、高校も中退。学歴は中卒だよ」

彼は高校中退後、電気技師になっていた。仕事のために髪を切り、黒く染め、客に何を言われてもじっと耐える。ボクなんか到底かなわない立派な社会人だ。

「でもさぁ、ヤッちゃん。俺は、まだこうして親のすねをかじっている身。それなのにヤッちゃんは自分で働いて、自分で生活をしてるんだよ。そっちの方が、よっぽどスゴイじゃない」

「そうかぁ、そんなことないけど……」

久し振りに、彼独特の人を魅きつけるテレ笑いが見られた。

10年近く経った今でも、ボクらの「指定席」は中学生たちの溜まり場となっているのかな。そして、みんな悩んでいるのかな。

後輩からのラブレター

春の椿事

　生徒会の役員になり、学校の「顔」にもなりつつあった3年生の4月。新入生を迎え、最終学年としての自覚も芽生え始めていた。バスケ部でも最後の大会が近づいており、先輩・後輩の区別なくチームがひとつになって練習に励んでいた。あらゆる面において、充実していたと言えるかもしれない。そんな春に「椿事」が起こった。

　美術の時間だったと思う。

「オタケー、これ、1年の女の子がオマエに渡してくれってさ」

　後ろの男子がボクをつつく。

「何?」

「知〜らない」

ニヤッと彼が笑う。もしや、と思った。ひったくるように彼からその封筒を奪い取り、先生に見つからないよう、そっと開く。そこには、女の子特有の丸文字とはタイプの違う、流れるようなきれいな文字が並んでいた。

〈こんにちは。はじめて手紙を出しますが、センパイは私のことを知らないと思います。でも、私はセンパイを知っています。毎朝、生徒会のセンパイ方と一緒に、校門のところで「おはよう、おはよう」とみんなに声を掛けていますよね。私は、センパイの「おはよう」というあいさつで、朝からとてもさわやかな気分になり、「今日も1日、頑張ろう」という気になるんです。でも、最近はちょっと元気がありません。それは連陸（連合陸上競技会の略。世田谷区の各中学校でスポーツのできる生徒が集まり、学校対抗で争う陸上競技大会）の練習のため、センパイよりも登校時間が早く、大好きなセンパイとのあいさつができないからです。毎朝、楽しみにしていたのにとても残念です。私も練習を頑張るので、センパイも頑張ってください。

　　　　　1年D組　○○○○〉

手に持っていた彫刻刀が震え、思わず自分の手も切ってしまうところだった。気が付くと、顔も真っ赤。まわりから見たら、「乙武、一体どうしたんだろう」と思われただろ

オトコゴコロ

彼女からの手紙は、ボクが思っていた以上に意味のあるものとなった。クラスや部活、委員会活動などの学校生活を共にし、会話を交わし、コミュニケーションを図っていくなかで、「乙武クンって、こういう人なんだ」と、分かってもらえれば恋愛にだって発展する。

それが、その時までの恋愛に対する考え方だった。

だが、この子は違う。ボクは彼女のことを知らないばかりか、話もしたことがない。ということは、彼女だってボクがどんな人間かは知らないはずだ。「平凡な」と言ったら彼女に叱られるかもしれないが、ごく普通に後輩が先輩に憧れる、あのパターンだ。「蓼食う虫も好き好き」と言ってしまえばそれまでだが、彼女はたしかに「車椅子に乗っている」ボクを見て好きになってくれたのだ。

女の子からの人気がないわけではなかった。バレンタイン・デーに女の子からもらうチョコレートの数はクラスで1、2位を争うほど。しかし、好きな男の子にあげる、いわゆ

る「本命チョコ」ではなかった。ただ、男女わけ隔てなく話すボクは女の子の友達も多く、ほとんどの女の子が「好きな男の子とオトちゃんに」といった具合でチョコレートをくれた。人気者といえば聞こえはいいが、恋愛の対象になるタイプでなかったということだ。

小学校の頃から、サッカー部の男子が見た目のカッコよさでキャーキャー言われているのを横目で見ていた。「うらやましい」とは思っていたが、自分がそのようにもてはやされるタイプでないことは知っていた。車椅子に乗っている人間が、外見だけで女の子の視線を集めることはできない。好奇や同情の視線でなく、思いを寄せる眼差しを得ることは。

恋愛と障害の関係を否定する気持ちと同時に、こういった思いも同居していたことは認めざるをえない。複雑な「オトコゴコロ」だ。中学に進んで、そのモヤモヤは、さらにボクを苦しめた。みんなが思春期にさしかかり、恋が芽生える。当然、「モテる男＝見た目のカッコイイ子」で、女の子の人気が集まる。人間は外見じゃない、中身が肝心なんだと強がってみても、女の子が寄ってくるわけではない。女の子にとって、相変わらず「話していて楽しいお友達」という存在だったボクに、「ボクだって、手と足さえあれば」という想いが、ないわけではなかった。

恋のバリア

たった1通の手紙が、そんな思いを吹き飛ばした。話をしたことはなくても、彼女はボクから何かを感じ取ってくれたのだろう。今までの自分を肯定されたようで、すごくうれしかった。自分はモテるという妙なウヌボレではない。「何だ、ボクにも普通の恋ができるんじゃない」と自分自身に、そして恋愛に自信が持てるようになったのだ。

恋愛に障害は関係ない、と言い切るつもりはない。「車椅子の彼女を連れて歩くつもりはない」と、冷たく突き放されることもあるだろうし、「耳の聞こえないあなたとはコミュニケーションできない」とフラれてしまうこともあるだろう。強がってみても、障害者の恋愛にハンデがあるのは動かしがたい事実だと思う。

しかし、ここで重要なのは「障害を言い訳にしないこと」だと思う。たしかに、恋に破れ心傷ついた時、まず頭に浮かぶのは「障害」かもしれない。ボクの目が見えれば、私の耳が聞こえたら……。しかし、本当にその失恋の原因は障害だったのだろうか。絶世の美女でも叶わぬ恋をすることがある。思いどおりにいく恋などないのだ。第一、そんな後ろ向きな人間に誰が魅力を感じるだろうか。「どうせ、オレは障害者。まわりには同情を寄せる女性ばかり。こんな俺には、まともな恋なんかできやしないよ」。これでは、た

ぐり寄せられる恋も、自分から追い返してしまっているようなものだ。

人の価値観なんてさまざまだ。背の高い女性を好む男性もいれば、太っている男性に魅かれる女性もいる。ボクの母なんかも「私、ハンサムな男って苦手なのよね」と公言している（もちろん、それに対して父は「俺は一体、何なんだ？」と苦笑いしているけれど）。

さすがに、「障害者だから魅力を感じる」という人はあまりいないと思うが、気にすることはない。結局は、その人の魅力次第なのだ。

「たしかに、俺は障害者。でも、アイツより俺の方がオシャレだし、頭も切れる。何より、君を思う気持ちは誰にも負けないよ」くらいのことを言ったら、彼女が振り向いてくれるチャンスは、大幅にアップするだろう（チト臭い気もするが）。

自らの持つ障害が、恋のバリアになっていることもあるかもしれない。だが、それ以上に障害に対する自分の捉え方、考え方が何よりの妨げになってはいないだろうか。

その後も、彼女からは何度か手紙をもらったり、旅行先のおみやげをもらったりしたが、結局、彼女の気持ちに応えることはできなかった。しかし、その後のボクの恋愛に大きな勇気をくれたのは紛れもなく彼女だ。

制服の第2ボタン、まだ持ってくれているのかな。

受験狂騒曲

高校選び

中学3年になると、クラス、いや、学年全体が落ち着きをなくし始める。リストから自分の偏差値に見合う高校を探し出す子。制服カタログから気に入った制服を見つけ、キャーキャー騒ぐ子。誰もが「高校受験案内」を持ち歩くようになる。期待と不安が入り交じり、精神の高揚する時期だ。

ボクもご多分に漏れず、高校選びに頭を悩ませていた。行きたい高校が、ないわけではなかった。東京都立戸山高校。100年以上の歴史を持つ、伝統ある学校だ。

小さい頃からお世話になっている整形外科の先生がいた。その先生はスポーツが大好きで、戸山高校アメリカン・フットボール部のチーム・ドクターを買って出ていた。戸山高校の話は、先生から幾度となく聞いていた。

「戸山の連中は、いまどき珍しい若者らしい若者だ。アメフトに対してひたむきに取り組んでいる姿は好感が持てる。考え方もしっかりしているし、何より根性が据わっているんだ」

さて、自分はどこの高校に行きたいのだろうと考えた時に、この言葉が真っ先に思い出された。先生の言っていたような、素晴らしい仲間と出会いたい。そして、そのなかで自分を磨き、できることならボク自身もそういった「魅力的な若者」になりたいと思った。

しかし、この想いが叶えられることはない。ボクの家は世田谷区・用賀。戸山高校のある新宿区・高田馬場までは、電車を乗り継いで1時間弱かかる。車椅子で電車に乗ることは自体が困難なことだし、まして想像を絶するほどの通勤ラッシュのなかを毎朝通学するというのは、ほとんど不可能に近かった。

諦めるしかない。父からのアッと驚く申し出があるまでは、そう思っていた。

「引っ越したらいいよ」

「へ？？？？？」

「戸山高校まで、車椅子で通える範囲に引っ越そう」

「でも……」

「いいんだよ、オレの会社だって新宿にあるんだから。通勤も楽になるし」

この用賀に引っ越してきたのも、幼稚園への通園が少しでも楽になるようにとのことだった。それなのに、また今回も……。

「引っ越す」と一言で言っても、そんな簡単なものではない。子どもにはわからない面倒くさいこともたくさんあるだろうし、親しくなったご近所とも別れなければならない。まして、10年以上も住み慣れた用賀。そう簡単に離れられるものではないだろう。

両親のこのありがたい申し出を受けるかどうか、しばらく考えた。あまりにも申し訳なさすぎる。しかし、用賀の家から通える範囲内に行きたい高校があるかというと、答えは「NO」だった。

彼らの大胆かつ厚情な配慮に甘えることにした。その想いに応えるべく、真摯に勉強を始めた。6月頃のことだったと思う。

スリル

親も交えての三者面談。担任の先生には無理だと言われた。ボクの行きたい戸山高校は、都立高校のなかでも最難関だったのだ。

「入れるかどうかも五分五分だし、もし入れたとしても、戸山高校では落ちこぼれになりかねないぞ」

そう脅されたが、たしかに、先生の言うとおりだった。しかし、それでもいいと思った。とにかく、戸山高校へ行きたい。それしか頭になかったのだ。

だが、状況は厳しかった。都立高校の受験制度というのは、試験当日の点数さえよければいいというものではない。当日の試験以上に、通知票の成績、つまり「内申点」と呼ばれるものが重要視される。内申点が高ければ高いほど、当日に取らなければならない点数は低くてすみ、逆に内申点が低ければ、当日は高得点を取らなければならないのだ。

戸山高校を志す人は、ほとんどがオール5の成績を収めていた。彼らにとっては、よほどのことがない限り「安全圏」と呼ばれる教科はまあまあの成績を取っていたものの、どうしてもネックになるものがあった。「体育」だ。

中学校は相対評価のため、ボクの体育の評価は、どうしても「1」が付いてしまう。自然と内申点の合計は低くなり、当日の試験でボクが取らなくてはならない点数は、460点まで跳ね上がった。1教科平均92点。そう簡単に取れる点数ではない。

戸山高校しか受験しないボクは、是が非でも合格しなければならない。さすがに、冷や汗をかいた。中学浪人……。そんな不安がボクを襲った。

らなければならない点数は、合計420点。1教科平均84点だ。いわゆる5教科（英語・国語・数学・社会・理科）と呼ばれる教科はまあまあの成績を取っていたものの、どうしてもネックになるものがあった。「体育」だ。

スリルⅡ

半年間は、あっという間だった。またたく間に受験シーズンが到来。そこで、両親は暴挙に出た。そして、その暴挙はボクの背筋を凍らせた。

高校に通うためには、引っ越さなければならない。さらに、転居先を決めるにあたっても、車椅子に乗っていることでさまざまな制限が生じてくる。マンションの入り口に段差はないか、2階以上に住む場合にはエレベーターが付いているか、玄関に車椅子を置いておくスペースがあるか、といった具合だ。近所のマンションを、こうした観点からチェックしてもらえば分かると思うが、これらのポイントを満たしているマンションというのは、かなり限られている。まして、ちょうど4月から入れるところなど、皆無に等しかった。

だが、奇跡的に1軒だけ見つかった。しかし、他にも話を聞きにきて迷っている人がいるという。言ってみれば「早い者勝ち」という状況だった。そこで彼らはなんと、そのマンションと契約してしまったのだ！

これには仰天した。たしかに、合格後のことだけを考えれば、彼らの選択は正しかったのだろう。しかし、今回の引っ越しは、「合格すれば」という条件付きなのだ。彼らの

決断力を誉めるべきなのか、無鉄砲さに呆れるところなのか。

さらに驚いたのは、その後の言動だ。普通の親であれば、マンションとの契約をしたと

しても、少しでも息子にプレッシャーをかけないよう、そのことは黙っているだろう。し

かし、ボクの両親は違った。

「もう契約しちゃったんだから、受かってくれないと困るよ」

あえてプレッシャーをかける親も珍しい。

「でも、まだ受かるかどうか……」

「まぁ、頑張ってよ」

そりゃあ頑張るけどさぁ。ボクがバスケ部に入った時、彼らはなんと言ったのか。

「どういう精神構造をしているのかしら、うちの息子は」

この言葉、そっくりそのまま返したい。彼らに、「普通の親」を求める方が間違いだっ

たかもしれない。この時、自身の無鉄砲さは、彼らから受け継いだものだと確信した。

雨のひなまつり

昔から本番には強かった。学芸会などでもトチったことはなかったし、そういった意味では、自信があった。ただし、今回はハードル

に大崩れしたこともない。そういった意味では、自信があった。ただし、今回はハードル

が高すぎる。本当に五分五分だった。

試験のちょうど1週間後、3月3日のひなまつりが合格発表の日だった。もちろん発表は自分で見にいくつもりだったのだが、発表当日は雨。そこで、母が見にいってくれることになった。

合格発表は10時。しかし、30分経っても電話がない。もしや……。不吉な考えが頭をよぎるが、きっと電話が込んでいるのだろうと自分に言い聞かせる。今と違い、携帯電話などは、まだ普及していない。こちらから連絡を取る術はなかった。どうやって慰めようか考えているのだろうか。「時間が止まって感じられる」というのを身をもって経験したのは、この時が初めてだった。

合格。この電話をもらったのは11時近くだった。発表へ向かう途中に、おしゃべり好きで有名な知人に捕まったらしい。何もこんな日に、こんな大事な時に遭遇しなくてもいいのに。神様もなかなか意地悪だ。

直接自分で見にいかなかったためか、最初はあまり実感が湧かなかったが、それでもジワジワとうれしさが込み上げてくる。努力って報われるんだなぁ。ぼんやりと、そんなことを考えていた。マンションの契約も破棄せずにすむこととなった。彼らは契約した時の心境を「息子を信じていたから」と振り返っているが、いくら信じていたとしても並

の度胸ではない。しかし、そうはいっても彼らも人の子。後から聞いたのだが、さすがに入試直前の１ヵ月くらいは、食事も喉を通らなかったという。それを聞いて少し悪い気もしたが、それに気付いていなかったボクもまた、平静な心の状態ではなかったのだろう。

とにかく合格したのだ。今回の「受験騒動」とでも呼ぶべき一連の出来事は、決して楽なものではなかった。しかし、朗報を聞いたとたんに、そんな苦労は一気に吹き飛んでしまった。代わりに頭を占拠しだしたのが、来月から始まる新しい生活と、ボクを待っているであろう新しい出会い。一体、どんな３年間になるのだろうか。

25人の勇士

金縛り

'92年4月、東京都立戸山高校入学。ボクら新入生の入学を、上級生たちは熱烈に歓迎してくれた。

戸山高校は、部活動の盛んな学校だ。40以上ものクラブが新入生を獲得しようと、時や休み時間に争奪戦を繰り広げる。運動系のクラブはユニフォームを着て登場し、掛け声をかけながら廊下を疾走。文化系のクラブは教室に乱入して演奏を始めたり、即興劇を演じて見せたり。とにかく、その熱気にボクら新入生は圧倒されてしまった。

リョウという子となかよくなった。188cm、90kg。人込みのなかで待ち合わせをしても一目で分かるような体軀の持ち主だ。当然、運動系のクラブが彼を放っておくはずがない。休み時間になると、彼の席は上級生たちで取り囲まれていた。

リョウとボクの出席番号は1番違い。座席も近かった。目の前で上級生にチャホヤされるリョウを、やはり、うらやましく思っていた。もちろん、ボクのもとにも勧誘の声が掛からなかったわけではない。囲碁・将棋部、合唱部、文学部……しかし、どれもボクの興味を惹くには至らなかった。

入学して、4日ほど経っただろうか。今日も、ボクの目の前、リョウの席に運動部の上級生が群がっている。ボクは意を決し、上級生のひとりに声を掛ける。

「あのー、ボクも入りたいんですけど……」

その上級生が振り返り、声を掛けたのがボクであることを認識すると、まるで金縛りにでもあったかのように凍り付いてしまった。それもそのはずだ。ボクが声を掛けた相手は、イカツイ防具に身を包み、片手にはヘルメット。そう、アメリカン・フットボール部の先輩だったのだ。もう一度、その先輩の目を見て言った。

「アメフト部に入れてください」

アメフト部に入って何ができるかなど、まったく考えていなかった。戸山高校へ行きたいと考えるきっかけとなった、整形外科の先生の「戸山のアメフトの連中は、熱い奴らだ」という言葉が、ボクをアメフト部に導いたのは自然なことのように思えた。入りたいから入る。そこに、「障害」という2文字が浮かんでこないのは、バスケ部の時と同じだ

った。

居場所

バスケットボール以上に、体のぶつかりあいが激しいアメフトでは、選手として活躍するわけにはいかなかった。マネージャーとして入部したボクだが、ドリンクを用意する、テーピングをする、専門店へ買い出しにいくなどの、いわゆる「マネージャー業」は何ひとつできなかった。そんな自分を歯がゆくも感じたが、練習中に人一倍、大きな声を出すことで、モヤモヤをかき消そうとしていた。自分は本当にチームのために役に立てるのだろうか、足手まといにはならないだろうか。とにかく、そんな思いを打ち砕きたかった。

ボクの様子を、監督・コーチはすぐに察してくれた。何かボクにできることはないだろうかと必死で考え、そして行き着いたのがパソコン。小学校以来、4年ぶりのキーボードとの「再会」だった。

「アメリカン・フットボール」と聞くと、身体の大きな男たちが、ガチガチとぶつかりあうスポーツというイメージがあるかもしれない。たしかに、その通りだ。ラインと呼ばれる、ぶつかりあうことが専門のポジションには、高校生といえども100kgクラスが並ぶ。彼らが防具を付けて相手に向かっていく姿を見れば、スポーツというよりも格闘技だ

という印象さえ受ける。だが、それだけではない。

肉弾戦というイメージが強い一方で、実は「知」の部分、つまり戦略面が重要となっ

てくる。体半分、頭半分のスポーツ、それが「アメリカン・フットボール」なのだ。

ボクが任されたのは「データ」だった。対戦相手のデータを集め、パソコンにインプッ

トする。それを分析し、次の試合に活かすのだ。相手は、このような時には右へのプレー

が○％、左へのプレーが○％。このような時には、パスを投げてくるのが○％で、走って

くるのが○％といった具合。それを表にまとめ、監督に提出するのがボクの役目だ。大

会が近づき、資料となる何本ものビデオを相手に、徹夜になることもしばしばだった。

役目はそれだけではなかった。新入生のポジションを決めるコーチ会議に特別に参加さ

せてもらったり、練習中の指示にあたったりするのもボクの担当だった。ボク自身、とく

にアメフトに詳しいというわけではなかったが、そばで見ていると選手以上に気が付く点

があるものなのだ。

選手でもマネージャーでもない。役割としてはコーチに近いのかもしれない

が、コーチでもない。非常に曖昧な立場だった。しかし、監督・コーチは、その曖昧な立

場に、逆に期待していた。選手・マネージャー・コーチの三者のパイプ役となる重要な

役割として。そして、ようやくボクはチーム内に「居場所」を見つけることができた。

雨中の決戦

　ボクら「戸山グリーンホーネッツ」は、かなり強いチームだった。身体の大きさだけで見れば、とてもではないが私立高校にかなわない。アメフト部に入るのに際してセレクションをする学校まであるというのだから驚きだ。こちらは、体重40kg台の男の子までかき集めているというのに。おそらく、身体の大きさだけなら、都内ワースト5に入るほどだっただろう。

　しかし、ボクらにはサイズの不足を補って余りある「指導力」があった。元全日本の選手だったコーチがふたりもいたのだ。彼らを中心とした監督・コーチ陣は、全国でも指折りだったに違いない。そんなコーチ陣が、戦術面、精神面でしっかりと指導してくれたおかげで、「戸山グリーンホーネッツ」は常に都大会でベスト4に入るような強豪チームになることができた。

　そして、いつからかボクらの合い言葉は「関東制覇」となっていた。自分たちよりひと回りもふた回りも大きな相手を倒して、関東でナンバー1のチームになる。これが、ボクらの夢だった。

　そして、2年生の春。ボクらの夢は、現実に近付きつつあった。

東京都大会準々決勝。相手は優勝候補の筆頭、日大三高だ。他の日大系列の高校は、「ブラック・レジスタンス（黒い反逆者）」というチーム名のとおり、ヘルメットからユニフォームまでが黒ずくめ。見ただけで、「うわ、強そう」と相手を萎縮させてしまうような格好だ。

日大フェニックスに倣い「赤」を基調としたユニフォームなのに、この日大三高は、「ブラック・レジスタンス（黒い反逆者）」というチーム名のとおり、ヘルメットからユニフォームまでが黒ずくめ。見ただけで、「うわ、強そう」と相手を萎縮させてしまうような格好だ。

実際、強かった。リョウのような体型の選手が、日大三高にはゴロゴロしていた。ただ大きいだけでなく、強くて、速い。「目の前で大きな壁が瞬時に移動する」（選手談）というのだから、どうやって突破したらいいのか。とにかく、そんなチームだった。

だが、是が非でも勝たなければならない。関東大会に進めるのは、東京都から4校。つまり、ベスト4に残らなければならないのだ。この日大三高に勝てば、準決勝進出。そして関東大会への出場が決定する。だが、負ければ次はない。先輩たちは引退となってしまう。まさに、天国と地獄だった。

当日は、雨中の決戦となった。野球などと違い、アメフトの試合は雨でも決行される。

ボクらの調子は、決して悪い方ではなかったが、試合は相手のペース。先取点を取られ、主導権を握られた。しとしとと雨は降り続く。いやな雰囲気がベンチを包む。だが、誰ひとりとして勝利を諦める者はいなかった。

後半に入り、刻々と残り時間がなくなっていく。泥まみれになりながら死闘を繰り広げる仲間たち。グリーンとイエローを基調としたボクらのユニフォームも、すでに何色だか判別のつかない状態になっていたが、夢に向かって闘い続ける彼らは、確かに輝いていた。背番号も泥で見えにくくなっていたが、夢に向かって闘い続ける彼らは、確かに輝いていた。

それに比べて、ボクにできることは、ただ声を出すことだけ。そして、攻守交替の際にベンチに戻ってくる選手たちをねぎらい、元気づけてやることぐらいだった。しかし、無力感を感じはしなかった。ボクにも選手同様、大切な仕事があったから。仲間を信じ、勝利を信じること。

14対12。試合終了直前の大逆転勝利だった。最後まで望みを捨てず、各自が与えられた役割を果たした。その結果に得た勝利。震えが止まらなかった。そして、涙でにじむ視界のなかで、驚くべき光景を見た。ふだんはポーカーフェイスで有名な先輩が、グラウンドに膝をつき、男泣きに泣いている。「俺たちは、すごいことをやったんだ」「このチームでフットボールができて、本当によかった」そんな想いが胸に込み上げると、もう、ボクの涙も止まらなかった。

チームメイトの顔は、泥、雨、汗、そして涙でグチャグチャ。円陣を組み、雄叫びを上げながらヘルメットを高々と突き上げる。背中がゾクゾクした。彼らは、いやボクらは、

この日のためにフットボールをしてきたんだ。

日大三高戦で劇的な逆転勝利を収めたボクらは、その後も破竹の快進撃を続け、ついに都大会優勝を果たした。戸山史上、2度目の快挙だ。

だが、あっけない幕切れだった。関東大会1回戦。相手は静岡県代表の三島高校。点の取り合いとなり、28対28で試合終了。大会規定により、勝負はコイントスに委ねられた。審判がコインをはじくと、間もなく主将が頭を抱えてうずくまる。「夢」は逃げていった。

3年生の春に引退するまでの2年間、ボクらはアメフト漬けだった。道を歩いても、授業中でも、風呂に入っていても、ボクらは常に強くなることを考えていた。高校生活のすべてを懸けていたものが失われた時、誰もが虚無感に押しつぶされそうになった。

だが、みんなが最も大切なことに気付くのには、それほど時間がかからなかった。制覇という夢に向かって共に歩んだ、25人の誇れる仲間がいるということに。関東

生命の水

ミチオ

毎年9月に、「戸山祭」が行われる。例外はあるものの、原則的には1年生が展示、2年生が演劇。そして、最終学年である3年生では、クラスで1本の映画を撮影する。外部からの客にとっては、素人高校生の演劇や映画を見せられるよりも、パーティや喫茶店などの方が楽しいだろう。しかし、創り手側であるボクらにとって、これほどまでにおもしろい文化祭は他にない。そういった意味で、現在、流行っている文化祭・学園祭とは、やや一線を画していると言えるかもしれない。

ボクら3年C組の映画製作は2年生の秋からスタートした。戸山祭には、学校側もたいへん力を入れており、本来ならば学年が変わるごとにクラス替えがあるところ、映画の製作期間が半年では足りないという理由で、2～3年生の間はクラス替えがないのだ。

まずは、監督選びから始まった。演劇の時になかよくなったメンバーたちが、「監督はオトしかいないよ。ボクらで一生懸命サポートするから、一緒にいい映画を作ろう」と言ってくれた。元来が目立ちたがり屋、仕切りたがり屋のボク。悪い気はしなかった。みんなに乗せられ、すっかり監督になる気でいた。しかし、すんなりとはいかない。

ミチオという子がいた。彼とはアメフト部でも一緒で、1年生の時からなかがよかった。ランニング・バックという、ボールを持って走るポジションだった彼は、持ち前の運動神経とバツグンのボディ・バランスで「黒人のバネを持つ男」とあだ名されていた。実際、色も黒かった。夏の合宿で消灯時間になると、真っ暗闇のなか、ミチオの白い歯と白いTシャツだけが浮き上がる。それだけ、色のコントラストが激しいのだろう。

また、彼の魅力は、その類まれなる運動能力だけではない。言葉では言い表すことのむずかしい、人を魅きつける不思議な力が彼には備わっていた。ボクは、このミチオだけには「どうしても敵わない」という想いを抱いていた。

ボクは、いわゆるガリ勉に「負けた」と思ったことはない。もちろん、勉強で勝つ自信があったからというわけでもない。ただ、成績の優劣は、ボクが人間を見る時の物差しにはならなかったのだ。では、彼の「何」がボクを打ちのめしたのだろう。一言で言えば、

「スケール」だった。その器に、いくら水を注いでもこぼれることがなさそうな度量。何

事にもとらわれることのない自由さ。彼の前では、自分がいかに小さい人間かを思い知らされるのだった。

そのミチオが、監督に立候補すると言う。ボクは、がっかりすると同時に、うれしかった。これで、ボクの監督はなくなったなと思うとともに、いい映画が撮れそうだと期待に胸ふくらませた。「ミチオではなく、このボクが監督に」という思いはみじんもなかった。

どう考えても、トップに立つ人間としてミチオの方がふさわしいと思えたのだ。

ミチオの真のよさを知らないクラスメイトの何人かは、それでもボクを推してくれた。だが、その期待には応えず、逆に彼らを説得した。「本当にいい映画を撮りたいのなら、ボクじゃなくて、ミチオを監督にすべきだよ」

こうして、ミチオ監督、乙武助監督の体制で、3年C組の映画製作がスタートした。

生命 (いのち)

この映画で訴えたいテーマを設定し、脚本を仕上げる。この過程に、ほぼ半年間を費やした。一度、決まりかけた脚本がボツになったこともあった。その脚本を仕上げるにも2〜3ヵ月の期間を要しており、一から作り直すにはたいへん勇気が要った。だが、「せっかく作るのだから、みんなが納得のいくものにしよう」という声が上がり、白紙に

戻ったのだ。

正式にテーマが決まり、脚本に取りかかったのは3年生になった5月くらいのことだった。テーマは「死」。というよりも、「生きること」と言った方がよいのかもしれない。

この年に開催された「全国高校演劇大会」で、最終選考まで残った16校の大半が「死」をテーマとした作品を扱ったということからも、当時のボクらが、いかにこの問題に関心を持っていたかがわかる。あらすじは、こうだ。

〈母とふたりで暮らす高校2年生のトオル。数年前に、姉を自殺で、父を酔った末のケンカで失くし、「生きることの意味」を見出せなくなっていた。だが、母の父や姉に対する想い、そして自分に対する想いを知ったトオルは、少しずつ「生きていくこと」の大切さに気が付いていく。そんなある日、最愛の恋人であるミナミが事故に遭い、病院へ担ぎ込まれる。

動揺するトオルの前に現われたのは、死んだはずの父。そこで、父はトオルに「生命」のすばらしさ、人間ひとりひとりの重要性を教える。だが、それは夢だった。目を覚ましたトオルに、ミナミが意識を戻したという知らせが届き、病室へ。また、ミナミと生きて会えたことで、あらためて「生きていること」のすばらしさを認識する〉

プロではない。高校生が考え、高校生が書いた作品だ。安直だと言われるかもしれないし、クサすぎると言われるかもしれない。けれども、ボクとしては満足のいく内容だっ

た。ボクらがメッセージとして伝えたかったことが、誰にでも分かるような形で書かれていたからだ。

クラスメイトのひとりがこのような作品を書き上げてきた時には、舌を巻かずにはいられなかった。自分と同じ歳でこれだけのことを考え、これだけのものが書けるなんて……。正直に言って驚いたし、悔しかった。もし、興味の湧いた方にはぜひ観ていただきたい。お近くのレンタルビデオ店に行き、「ヒューマン」というコーナーを探して……も置かれていないのが残念！

そして、この作品に題名が付けられた。命名者はミチオ。彼は、ふだんからよく本を読み、博学な人物だった。その彼が名付けた題は『usquebaugh（ウシュクベーハー）』。古代ゲール語、現在のケルト語にあたる言葉で「生命の水」という意味だ。「ウイスキー」の語源となっているのも、この語だという。彼は、毎日何気なく使っているものである「水」に対して「生命」という言葉を用いていることに、とても驚かされたそうだ。それだけ、ヨーロッパでは水が重宝されていたのだろう。

では、我々がこの語を用いるほど「大切なもの」は何だろう。各自の「大切なもの」を問うために、この言葉を題名にしたと彼は語る。

『usquebaugh』という名をもらい、この映画も「生命」を吹き込まれた。

持ち味

本格的に撮影が開始されたのは、1学期の期末試験が終了した7月中旬から。約1ヵ月ほどかけて行われた。だが、決してスムーズに進んだわけではない。撮影の妨げとなる「敵」が現れた。

その敵とは、「暑さ」だった。7月中旬からの1ヵ月間といえば、最も暑い時期だ。その炎天下のなか、丸1日かけて撮影をするのだから、たまったものではない。だが、ボクなどは、まだマシな方だった。気温30度を優に超える暑さのなか、監督に厳しく指導されながら演技をこなすキャスト。なかには、冬のシーンだといって、コートを着せられる子もいた。その姿は、見ているだけでも生き地獄だ。

最もたいへんだったのは、カメラ・音声・照明といったスタッフだ。普通に歩いているだけでも汗がダラダラと流れてくるのに、重たい機材を担いで回らなければならない。彼らが置かれる状況は、より過酷なものとなる。機材を抱えている彼らは、汗が目に入っても、蚊に刺されても、物音ひとつ立てることすら許されないし、カメラなどは身動きひとつ許されない。よほど、忍耐力のある人間でなければ務まらない。「気は優しくて力持ち」タイプで、クラスのアエノは、カメラのチーフに最適だった。

ンケートで「いいパパになりそうな人」部門の堂々1位。仕事を黙々とこなす、頼れる男だった。2年生の演劇の際にも、誰もやりたがらない大道具を買って出て、ラストシーンに登場する桜の木を、ほとんどひとりで完成させた。決して表舞台に立つ人間ではないが、C組の屋台骨は他でもないエノだったことを、クラスの誰もが知っていた。

ボクとミチオのコンビも、うまく機能していた。助監督であるボクの仕事は撮影の前まで。当日、どこで撮影で、集合は何時、キャストは誰と誰が持っていく、などの細々としたことを整理し、把握する。分かりやすく言えば、撮影のための準備がボクの担当だった。

そして、用意された食材を用いて実際に調理するのがミチオの役目。現場での指揮の一切は、ミチオに任せていた。彼は、それだけの能力を持っていたし、センスも持っていた。ボクが監督にならなくてよかった。彼の指揮を見ていると、そんな気持ちにさせられる。

映画製作の過程では、お互いの持ち味が存分に発揮できていたように思う。

この映画には、「一滴の水」というサブタイトルが付けられていた。それは、トオルの夢に登場した父親が、息子に語るシーンから取られている。一滴の水は、大海に落ちてしまえば、その存在が分からなくなってしまうくらい、ちっぽけなもの。だが、大海は、その一滴一滴の水から成り立っ

ているのだ。それは人間も同じ。今のトオルは、人間ひとりがいなくなったところで、ど

うってことはないと考えてしまっていないか。だが、この世界は人間ひとりひとりで構成

されているんだ。そう考えれば、ひとりひとりが価値のある、大切な「生命」なんだよ〉

ボクは、この台詞が好きだった。だが、映画を撮り終えて、水と人間の決定的な違いに

気付いた。水は、どの一滴を取っても同じ水。だが、人間はひとりひとりが「違い」を持

っているのだ。

「適材適所」という言葉を実感できたのは、この時が初めてだったと思う。ミチオのよう

に現場を指揮できる人間ももちろん必要だが、そこまでの段取りを得意とするボクのよう

な人間も必要だろう。エノのように黙々と裏方をこなす人間もいれば、スクリーンに映し

出されて初めて持ち味を発揮する人間もいる。

お互いの「違い」を「持ち味」として生かすことで、これだけすばらしい映画が撮れ

る。そのことを学んだだけでも、この映画を撮った価値は十分にあったと思う。

ボクは、宣伝用のパンフレットに、次のようなことを書いた。

「みんなが次の世代に伝えていきたいことって何ですか？ 生きることの尊さや、人と人

とのふれあい……いろいろあるけど、そんなことを考えているうちに、今まで気付かなか

った、自分のいちばん大切なものが見えてくるんじゃないかな」

数学は7点……

人気者⁉

もともと、勉強が好きな方ではなかった。とくに高校生になると、文系と理系とに分かれていく。文系のボクは、数学や物理といった理系の教科が大の苦手となる。その苦手意識は、如実に点数に表れていった。

高校に入って最初の定期試験は、まずまずの成績だった。数学も平均点そこそこで一安心。だが、ここから下り坂を転げ落ちるように、点数が急降下していく。無理もない。あれだけ朝から晩までアメフトのことを考えていれば、点数が下がらない方がおかしいだろう。

ただ、アメフト部の名誉のために言っておくと、部活にも一生懸命に打ち込み、勉強にも身を入れて、いい成績を収めている子もいた。だが、ボクには到底できない。何かひ

とつのことに打ち込んでいると、他のものが見えなくなってしまうボクにとって、「両立」という言葉はとても遠い存在だった。こうして、ボクは初めて「落ちこぼれ」となっていった。

ある日、アメフト部の友達とふたりで廊下を歩いていた。彼も、なかなかの「落ちこぼれ」だ。すると、隣のクラスの女の子がヒソヒソ話をするのが聞こえてきた。

A子「来た来た、アメフトのバカコンビ」

B子「このまえの数学のテスト、ふたり合わせて5点だって」

A子「うっそー、マジで? 笑っちゃうね」

これを聞いたボクは憤慨した。「ちょっと待て。確かにふたり合わせて5点という事実に誤りはないが、ボクひとりでも5点だぞ。こいつは0点なんだから」と、訂正しようかと思った。が、やめた。「目くそ、鼻くそを笑う」だ。

こんなことは日常茶飯事だった。もちろん、バカにされているわけだが、決してイヤではなかった。

「お、話題にされてる。なんだか人気者になった気分だ」

ここでも目立ちたがり屋精神が発揮され、恥ずかしいという気持ちはみじんも起こらなかった。ここまで来ると、本当のバカかもしれない……。

出席番号

このように自分自身はなんとも思っていなかったのだが、どうしても勉強せざるをえない状況を迎えた。「仏の顔も三度まで」ではないが、ついに数学の先生の堪忍袋の緒が切れたのだ。1年生の秋のことだった。

この先生は、日頃からボクを気に留めてくれていて、読んで気に入った本を貸してくれたりしていた。また、「髪や頭皮にいいのよ」と言って、マヨネーズやヨーグルトで洗髪をする、ちょっと変わった先生でもあった。その先生が、厳しい口調でボクをたしなめた。

「あなたは、決してデキが悪いわけじゃないの。部活にウッツを抜かしているだけ。今度のテストで40点を下回ったら、部活に出ることを禁止します」

これは、一大事だ。アメフトに一生懸命で勉強どころではなかったのに、そのアメフトが奪われてしまう。何がなんでも、40点以上取るしかなかった。だが、そんなに簡単なものではない。基礎ができていないのだから、その回のテスト範囲だけを勉強しても無駄。教科書を何度も読み返し、時には後戻りして問題を解く。得意な人にとっては何でもないことなのかもしれないが、ボクにとっては地獄の苦しみ。何度も投げ出したくなっ

た。

どうやら人間は、切羽詰まった状況に置かれると、実力以上の力を発揮するようだ。こうして、その先生にも納得してもらい、今までどおり部活に参加できることとなった。こんなに部活が楽しいものだと感じることができたのも、ボクが数学が苦手なせい!?

後日談として、こんなことがあった。2年生になって数学の担当が替わり、件の先生とも顔を合わせる機会があまりなくなった。1学期の学期末テストが終わり、もうすぐ夏休みという頃、学校の前の通りで先生の姿を見かけた。先生もボクに気付いてくれたようだ。しかし、大通りをはさんで向こう側とこちら側。容易に会話することはできない。そこで先生は、手を口にあてがいメガホン代わりとすると大声で叫んだ。

「オトタケくーん。今回のお追試は、どうだった1?」

先生、ヤメテョー。そんな大声で追試の話なんて。しかも、好きな女の子とふたりで歩いてる時なんて、こんなにタイミングの悪いことはない。それに、今回は赤点じゃなかったんだよー。

65点。平均点をもわずかに上回る、ボクにとっては「高得点」だった。

数学は、最後まで苦手だった。3年生になると、5回の定期試験とは別に、学力テストというものがある。「こんなの自由参加にすればいいのに」とブックサ文句を言いながら

も、仕方なく受ける。他の教科も決して自慢できるような実力ではないが、こと数学に関してはサッパリ。何を聞かれているのかが分からないのだから、何を書いたらいいのかも分からない。本当にお手上げだった。

どうして、テストというものは忘れた頃に返ってくるのだろう。一応は結果が気になり、返却された答案をチェックする。が、どこにも点数が書いていない。ボクの出席番号である「7」という数字が隅っこに鉛筆で書かれているくらい。

何度見ても、やっぱり書いていないので、前の席の子の答案を覗き込む。「147」と書かれている。それも鉛筆で。も、もしや……と思い、隣の子のも覗き込む。「123」、やはり鉛筆書きだ。大いなる勘違い。ボクが出席番号だと思っていた「7」という数字は、そのテストでボクが獲得した点数だったのだ。

200点中の7点。やっぱり、数学は嫌いだ。

将来（しょうらい）の夢（ゆめ）

大きくなったら……

「高木（たかぎ）先生は、ボクとツッちゃんの敵（てき）だよ」

そんな宣戦布告（せんせんふこく）をしたのは小学校2年生くらいのことだっただろうか。先生は、ビックリして尋（たず）ねた。

「どうして、先生は君の敵（てき）なの？」

「だって、先生は巨人（きょじん）ファンでしょ。ボクとツッちゃんは阪神（はんしん）ファンだもん」

「君のお父さんだって、巨人（きょじん）ファンだろ。じゃあ、お父さんも君の敵（てき）かい？」

「そうだよ。だから、パパと高木（たかぎ）先生がなかよしになればいいんだ」

「でも、阪神（はんしん）は最近（さいきん）、弱いじゃないか」

「うん。だから、ボク、大きくなったらプロ野球選手（やきゅうせんしゅ）になって、阪神（はんしん）に入るんだ」

これが、生まれて初めて憧れた職業だった。手も足もない子の将来の夢が、「プロ野球選手」だというのだから呆れてしまう。だが、他の子どもが「パイロットになりたい」だの「電車の車掌さんになりたい」だの、将来の夢をコロコロと変えていくように、ボクもそれほど強く「プロ野球選手になりたい」と思っていたわけではなかった。その後の変遷をたどってみる。

小学校3〜4年生になると、今度は、「将棋の棋士になるんだ」と言い出した。先を読む力を問われる、この知的遊戯には、障害の有無はまったく関係がない。何かひとつ、誰にも負けないものをつくってやりたいという思いから、高木先生が教えてくれた将棋。そして、そのおもしろさにボクもすっかりとりつかれた。本を読むなどして勉強し、友達を家に呼んでは、将棋を指して遊んだりしていた。

だが、「数年のうちに、かなり上達するのでは」という先生の期待を、ボクは見事に裏切った。たしかに、クラスのなかでは強い方となったが、高木先生に敵わないのはもちろん、クラスのなかにも敵わない子が何人かいた。高学年になって、やっと気付いた。「こんなに弱いんじゃ、プロになんてなれっこない」

6年生になって、「アメリカの大統領になりたい」と突拍子もないことを言い出した。どうして、そのように思ったのかは、今でも分からない。だが、これは3日間で断念し

た。アメリカ合衆国の大統領になるには、アメリカの大統領を断念して、日本の首相に」とは考えなかった。当時のボクにとって、日本の首相いたのだ。さすがに、日本人でなくなることには抵抗を感じた。けれども「アメリカの大統領を断念して、日本の首相に」とは考えなかった。当時のボクにとって、日本の首相とは、あまり魅力的な職業ではなかったようだ。

弁護士

本格的に「将来の夢」を意識し出すようになったのは、中学生になってからだった。

その職業は、弁護士。きっかけは、何でもないようなことだった。当時、反抗期の激しかったボクに対して、母が「あなた、そんなにロゲンカをして人を負かすことが好きなら、いっそ弁護士にでもなったら」と皮肉を言ったのだ。反抗期のくせに、どうやらその皮肉だけはバカ正直に受け取ったらしい。

「弁護士か……いいな」

たったこれだけのやりとりで、5年間も「弁護士になりたい」と思っていたのだが、その夢も高校3年生の時に方向転換することとなる。

ある日、司法試験に関する新聞記事を目にした。その記事は、司法試験に合格することがいかに困難かを書いたもので、とくに合格者の平均年齢は29・3歳というデータに、ボ

クの目は奪われた。ほとんどの受験生が、大学在学中から勉強を始めることを考えれば、司法試験にかける期間は約10年。その間、ずっと勉強漬けになっていなければならないかと思うと、背筋がゾッとした。

友達には、「いいじゃない。その後にはバラ色の人生が待っているんだから」と言われたが、やはり感受性の豊かな20代の丸々10年間を、勉強のみに費やしてしまっていいものだろうか。そんな疑問がわいてきた。

答えを出すのはむずかしかった。確かに、一心不乱に勉強に取り組むことでしか得られないものというのも、あるのかもしれない。そういった人生を否定することは、ボクには できない。しかし、それは「ボクの生き方」には適わないと思ったし、それができるほどの忍耐力も持ち合わせてはいなかった。

ここで、ボクは果たして本当に弁護士になりたいのだろうかと考え直すこととなる。中学生の時に、母との間に交わされた他愛のないやりとり。それだけのきっかけで思い続けてきた弁護士への夢。ボクは、ただ「憧れて」いただけだということに気付いた。弁護士ってカッコイイ。人前で話すのも得意だし、試験も暗記物が多いならなんとかなるかもしれない。お金もいっぱいもらえるみたいだ。単に、そんな理由から弁護士を志望している自分に気付くと同時に、実際に弁護士をしている方々に対して申し訳なく思えてきた。

「弱い立場の人々を救いたい」「法の下において、人間はすべて平等なのだ」本来ならば、そのような理由から弁護士、法律家を目指すのだろう。だが、ボクは違った。このまま法律の世界を目指すのは、とても失礼なことだと思ったし、また、自分自身も後悔するような気がした。

「弁護士ってカッコイイ」——これは、弁護士という職業への憧れであって、「どんな仕事をしているのか」という部分にはまったく考えが及んでいない。それでは、長続きしないだろう。どんな職業であっても、必ず苦難が伴うはずだ。そんな時、「この職業はカッコイイ。なんとなくなりたかった」では、その苦難を乗り越えるどころか、きっと逃げ出してしまうこととなる。

大切なのは、「社会において、何をしたいのか」だと思う。そのことさえ、しっかりと把握していれば、道は自然に開けてくるはずだ。その「やりたいこと」を実現するためには、どんな職業があるのだろう。そのような職業がなければ、自分で創ってしまえ。それくらいの強い気持ちがなければ、仕事としてやっていけないだろうし、また、仕事の内容に納得できなければ、自分の職業に「誇り」を持てないだろう。社会はそんなに甘くないのかもしれないが、「仕方なく」仕事をするなど御免だ。

「弁護士ってカッコイイ」——まったくの本末転倒だった。

揺れる進路

当時のボクは、生意気だった。「やりたいこともないくせに、大学へ行くヤツなんて」と、世間に流されて大学へ行く風潮を批判などしていた。だが、自分がその立場に立つことになる。弁護士になりたいという思いが消えた時、それに代わるような選択肢はなかった。「やりたいこと」がなくなった時、大学は遠い存在となったのだ。

なんとなく、願書は出してしまった。だが、そんな気持ちのまま勉強などできるはずもない。周囲からは、大学は「一応」行っておいた方がいいと勧められたが、その「一応」がイヤだった。アメフト部も引退し、映画も撮り終わり、受験勉強をするでもない。とても無駄な時間を過ごしているのは分かっていたが、自分ではどうすることもできなかった。目標のない生活というのが、こんなにつらいものだとは、この時に初めて感じた。

関東制覇だ、戸山祭だと走り続けてきた反動だったのかもしれない。

あっという間の半年間だった。高校卒業と同時に、ほとんどの友人が大学への進学を決めたり、予備校探しに奔走したりと、「新しい道」へ向かってスタートを切っていた。

そして、ボクひとり、ポツンと取り残されていた。

そんな時、ある友人がこんなことを言ってくれた。「オト、理想を追いすぎだよ。18歳

やそこらで『何をやっていきたいか』なんて決まっている人は、そんなにいるもんじゃない。もちろん、やりたいことをするために、学びたい分野を勉強するために大学へ行ければいちばんいいのだろうけれど、何がやりたいのかを見つけるために大学へ行くんでもいいんじゃないのかな」

この一言で、目が覚（さ）めた。よし、大学へ行こう。

浪人ノススメ

予備校探し

高田馬場という街は、学生街として有名だ。しかし、この街には、もうひとつの顔があ
る。それは、「予備校の街」。高田馬場駅の周辺には、有名・無名を問わず、おびただし
い数の予備校がある。どこに行こうか迷ってしまうほどだ。とくにこだわりもなく、家か
ら近ければ、どこでもよいと考えていたボクには、絶好の条件だったといえる。だが、
これが大きな間違いだった。

友達が高校時代に通っていて、とてもよかったと言っていた予備校に立ち寄る。

「あの──、4月からここでお世話になりたいんですが」

「少々、お待ちください」と言って、受付の女性が奥へ消える。パンフレットでも持って
きてくれるのかな、などと考えていたが、とんでもない誤りだった。

「当校には、エレベーターや車椅子用トイレなどの設備が整っていないため、お受け入れすることはできません」

これには、軽い衝撃を受けた。気を取り直して、他の予備校へ。やはり、同じような理由で断られた。「ボクは、自分の足で階段を上ることが可能ですからエレベーターは不要ですし、トイレも車椅子用でなくてけっこうです」と言ってみたが、結局は「何かあった時の責任が取れない」ということで断られてしまった。

その後も、片っ端から「予備校巡り」をしたが、成果はなかった。入り口のところに段差があり、「入れてください」と頼むことすらできない予備校もあったし、ひどい時など「ちょっと車椅子の方は……」という断り方をされたこともあった。何だよ、入り口のところに「車椅子禁止」なんて書いてなかったぞ。

それでも、激しい怒りを覚えるということもなかったし、悲嘆に暮れるというわけでもなかった。ただただ、驚かされた。

「へぇ——、車椅子に乗っているって、けっこうたいへんなことなんだ」

両親、先生、友人……すべてに恵まれて育ってきたボクには、自分が「障害者」だと意識する機会がなかった。障害者としての壁にぶつかったのは、この時が初めてだったと言えるかもしれない。

しかし、ただ驚いている場合ではなかった。せっかく大学へ行こう、勉強をしようと思った時に、その環境が見つからないのだ。ボクには、自宅でひとりで勉強を進められるほど強い意志がなかったので、どうしても通うことのできる予備校が必要だった。さて、困った。

そんな時、家に届いたダイレクトメールで、3大大手のひとつと言われる駿台予備校が近くにあることを知った。大手などは、当然受け入れてくれないだろうとなかば諦めながらも、さっそく、偵察にでかけた。メインとなる校舎には階段があるのだが、新校舎と呼ばれる建物には段差もなく、エレベーターも完備。電動車椅子で十分に利用できる。あとは、許可が下りるかという問題だけだった。

最初に応対してくれた部長クラスの方は、やはり難色を示した。「責任が……」と言っている。ここもダメか、そう思っていた矢先に、若手職員の人たちが「前向きに検討してみましょうよ」と部長さんに反論。その甲斐あってか、話し合いは受け入れの方向で進んでいった。

「一緒に、頑張りましょう」

話し合いの後、実際に車椅子で利用できるかどうかチェックするために、若手の方と一緒に校舎内を回った。

エレベーターに乗る際に、そう声をかけてもらった。この一言で、どれだけ勇気づけられたか。今まで、何校も回って断られ続けてきたが、その苦労が一気に吹き飛んだ。長くて短い1年間、浪人生活が始まる。

バイク好きの男

ボクの通っていた駿台・新宿校は、通称「ウソつき校舎」とも呼ばれていた。普通、「新宿校」と銘打っていれば、誰もが新宿駅周辺にあるものだと思い込んでしまう。だが、この校舎は、一駅隣の大久保に位置していた。

大久保まで、ボクの家からは電車で約2駅分の距離。毎日、電車に乗ることがむずかしいボクは、歩いて通うしかなかった。電動車椅子で、ちょうど30分。決して近くはないが、高田馬場の予備校がほぼ全滅だった状況を考えれば、その遠さはまったく気にならなかった。

しかし、さすがに雨の日ともなると、状況は一変する。左肩と首を使って傘をはさみ込み、風に吹かれても安定するよう、柄の部分を足で押さえつける。そして、右手で通常どおり車椅子の運転。かなりの荒技だ。この体勢は、いつも以上に体力を消耗するだけでなく、視界の左半分が傘で覆われてしまうため、信号も見えにくかったし、急に飛び

出してくるような車も目に入らない。このような危険な状態のなかで車椅子を30分走ら

せるというのは、かなり厳しいものだった。

それでも、めったにズル休みをしなかったのは、予備校生活が楽しかったからだろう。

予備校が「楽しかった」なんて、不思議に思うかもしれないが、本当に楽しかった。駿台

は、クラス制になっている上に、他の予備校と異なり座席が固定制だったため、友達がで

きやすかった。さらに、クラスの大半が同じ大学を目指していたことで、同じ目標に向

かう「仲間意識」といったものがあったのかもしれない。

最初に知り合ったのはリキマルだった。180cm近い長身にロン毛と細面の顔。後に

ボクの友達から、「あの人、クスリ（麻薬）やってんの？」と聞かれるほどに悪い人相。

休み時間に、ひとりでプカーっとタバコを吸う姿を見ていると、とても近寄り難い雰囲気

を持っていた。

ある日、休み時間に水を飲んでいたら教室に戻るのが遅くなり、授業が始まってしま

っていた。そこへ、タバコを吸っていて遅くなったというリキマルと扉の前で鉢合わせ。

その授業は、やや怖い先生だったので途中入室するのがためらわれ、下のベンチで授業

終了を待つことにした。リキマルと話をしたのはこの時が初めてだったが、イメージと

違い、とても気さくな「イイ奴」だった。ボクのバスケ部時代のチームメイトが、リキマ

ルの高校時代の友人だったことなどもあって、ふたりはすっかり意気投合。以後、ふたり

でツルむようになった。

リキマルは、大のバイク好きで、予備校へもバイクで通学してくるほど。今まで、ボク

の友達のなかにバイク好きなどいなかったため、彼の存在はとても新鮮だった。予備校に

は、地方から来ている子もいれば、都立高校とは雰囲気の異なる私立高校の出身者もい

た。リキマルだけでなく、予備校での友達は、ボクの知らない世界を持つ人々が多く、そ

れがボクの予備校生活を楽しくさせた一因だったかもしれない。

天王山である夏休みが終わると、一気に友達の輪が広がった。クラスの人数は100人

以上とやや多かったが、その雰囲気は予備校というよりも、学校に近かったように思う。

朝から弁当を持って葛西臨海公園にピクニックに行ったり、しゃぶしゃぶの食べ放題に行

って大皿16枚を平らげたり、夜の公園でボクの電動車椅子を使ったタイムレースをした

りと、アメフト漬けだった高校時代よりも、より「遊び」という部分が充実していた。

友達とやりとりをするためにポケット・ベルを持ったのも、この頃だった。

しかし、この年のボクの本業は勉強。こんなに遊んでいて、だいじょうぶなのだろうか

……。

奇跡

ゼロからのスタート

　高校時代が高校時代だっただけに、ボクの学力はひどいものだった。予備校が始まって、初めての授業、それは英語の時間だった。先生が、盛んに「S（主語）、V（述語）、O（目的語）という語を連発するのだが、ボクにはさっぱり意味が分からない。勇気を出して、隣の席の子に聞いてみた。

「ねぇ、SとかVとかOって、何のこと？　何かの暗号？」

　隣の子は、「コイツ、俺のことをおちょくっているんだろうか。それとも、本当に何も分かっていないアホなんだろうか」という、憤怒とも同情ともとれるような眼差しを向けるだけだった。ボクは、大マジメだったのに……。

　高校時代に、模擬試験などを受けたことがなかったので、当時の自分の偏差値など知る

由もなかったが、百数十人いたクラスのなかでも、後方集団を形成するひとりだったこ
とは、まず間違いない。しかし、ここから始めるしかなかった。1年間で、どこまで伸び
るのか。まるで、他人事のように楽しんでいた。

そんなボクが目指したのは、早稲田大学。ボクが早稲田大学に抱いていたイメージは、
「何かが起こりそう」というもの。よく、「人種のるつぼ」と表現されるこの大学には、
とにかくさまざまな価値観を持った人が存在し、その個性がぶつかり合う、非常にパワフ
ルで魅力のある大学だと思っていた。そして、そのような環境に自らの身を置き、自分
自身にも「何かが起こる」ことを期待していた。他力本願だと言われてしまえばそれまで
だが、「やりたいこと」を見つけるために大学へ行く人間にとっては、最適な大学のよう
に思えた。

理由は、それだけではない。それは、大学までの距離。戸山高校のために転居してきた
当時の自宅から早稲田大学の本部キャンパスまで、歩いて5分。文学部のキャンパスは、
家の真正面に建っており、窓から様子がうかがえた。理工学部のキャンパスも、母校・戸
山高校の向かいに位置している。数学はサッパリのボクが、理工学部の位置まで考慮に入
れる必要はないのだが、ここまで近いと親近感も湧くものだ。他の大学へ行くこととなれ
ば、また引っ越しもしなくてはならない。そのような理由もあった。家の目の前にある早

稲田大学。しかし、そこまでの距離は近いようで遠かった。

初めて受けた模試が返却され、その結果を見たボクは唖然としてしまった。ボクの志望している5学部のうち、4つまでがE判定。残りのひとつもD判定だった。「再考が必要」と書かれた結果用紙に、「何を考えているんだ。この成績で早稲田大学を受けるつもりか」とバカにされているような気がした。自分の実力が、まだその程度であることは自覚していたつもりだったが、改めてアルファベットで事実を示されると、悔しさを通り越して悲しい気持ちにすらなった。本当に、受かるのだろうか。

マイペース

ボクの勉強スタイルは、独特だったと言えるかもしれない。浪人生の生活というと、どうしても夜中の2～3時まで勉強というイメージがあるが、ボクは違った。浪人中は、ほぼ毎日、10時過ぎには寝ていたのだ。「オマエは小学生か」と笑われそうだが、本当の話だ。体力のないボクは、とくに睡眠が足りていないと、翌日の調子が出ない。そこで、10時過ぎには寝てしまっていたのだ。

理由は、もうひとつあった。家にいると、勉強ができない。もちろん、家ではダラけてしまうということもあったが、何よりボクの部屋には机がなかった。ベッド、クローゼッ

ト、本棚でほぼ満席状態のボクの部屋に、机を置くスペースはなかったのだ。よく、家に遊びにきた友達が、「本当に、これが受験生の部屋か」と驚いたのも、うなずける。

必然的に、家で勉強をする時にはリビングに行き、両親がテレビを見ている脇でするしかなかった。気が散って、はかどるわけがない。そこで、夜は寝てしまっていたのだ。

その代わり、早起きをするようになった。6時半には起きて朝食をすませ、早々に予備校へ行ってしまう。そして、授業が始まるまでの間、自習室で勉強をしていたのだ。実は、この自習室というのも「特別な」自習室だった。というのも、通常の自習室は、階段を使わなければ行けない本館に設置されていたのだが、それではボクが利用できない。

そこで、段差のない新館の1階にある準備室のような部屋が、「乙武用自習室」として用意されたのだ。これは本当にありがたかった。ボクの他には誰もいないので、この上なく集中でき、勉強もはかどった。授業を終えると、またここに戻ってきて勉強を続けた。

このようにして、朝から夕方までは集中して勉強をする。そして、家に帰ったら、父とプロ野球中継を観るなどリラックスして、10時過ぎには寝てしまうという生活だった。まわりからは、「マイペースだね」と笑われたが、褒め言葉だと思っている。「自分のペースを崩さない」ことが大切なのだ。

ボクの受験教科は、英語・国語・日本史。国語は、元々のセンスによって、ある程度

179

は決まってしまうだろうと、多くの時間を費やすことをしなかった。日本史は唯一、高校時代に真面目に取り組んだ教科で下地もあり、秋以降の詰め込み作業で間に合うだろうと計算した。残るは、最も配点が高く、点数を伸ばすために必須と言われる英語。だが、ボクの英語の実力は冒頭で述べたとおりだ。

そこで、夏休みの最重要ポイントは英語となった。この夏だけは、自分でも驚くほど勉強した。ひどい時には、勉強をしながら食事を取ることもあった（よい子のみんなは、決してマネをしないように！）。毎日10時間以上は勉強をしていたと思う。

秋に入ると、また「マイペース生活」に戻ったのだが、この夏の効果は目を見張るほどに表れた。クラスの最後方を走っていたボクの成績が、みるみる伸びていったのだ。9月頃には、クラスの真ん中ほどまでに、冬に入ると上位10人に入るようになった。

しかし、「行けるかな」と甘い考えを抱くことはなかった。相変わらず、模試での志望校判定が、E判定やD判定ばかりだったのだ。たまに、「今回はかなりできたぞ」と思う時があっても、C判定を出すのがやっと。たしかに、ボクの実力はついてきているが、まだまだ早稲田に受かるレベルには達していないということなのだろう。本番までに間に合うのだろうか、という焦りがなかったわけではないが、「まだ数ヵ月ある」と自分に言い聞かせ、相変わらずのマイペースを崩さずに勉強を続けた。

星占い

1月15日。世間では成人式だが、受験生は「センター試験」で、それどころではない。

早稲田大学しか受験しないボクは、センター試験が必要ではないので、翌日の新聞紙上で問題を解いてみることにした。もちろん、遊び半分だ。

「やらなければよかった」──1時間後、後悔することとなる。センター試験の問題は90点以上は取らないと厳しいと言われるのに、最も得意なはずの日本史で、70点しか取れなかった。怖くて、英語と国語は解いてみる気にはならなかった。心配する親に、「だいじょうぶ、だいじょうぶ。センター試験と早稲田の日本史は、だいぶ傾向が違うようだから」と強がるボクの顔からは、明らかに血の気が引いていた。

2月1日。この日から、主な私立大学の入学試験が開始される。いよいよ、受験シーズン到来だ。ボクの緊張も高まってくる。1～2週間すると、数人の友達から「○○大学、受かったよ」と歓喜の電話をもらう。まだ、受験すらしていないボクの焦りは募る。

早稲田大学の受験日程は私立大学のなかで、最も遅いのだ。

気を紛らわすように、早稲田大学の過去の入試問題を解く。「エッ？？」と思わず驚きの声が出てしまうほど、点数が取れてしまった。全体で7割強。日本史だけで言えば、

8〜9割。何かの間違いではないかと思い、もう数年分を解いてみたが、やはり、かなりの得点を取ることができた。

え、まさか、もしかして……期待は膨らんだ。

2月20日。ようやく、ボクの受験が始まる。5学部受験するボクは、ここから5日間連続の試験となる。試験は、ほぼ丸1日かけて行われるため、体力的にはキツイが、念願の早稲田大学入学のため、気力で勝負するしかなかった。

初日であるこの日は教育学部。ボクの得意な日本史の配点が5学部中で最も高いため、受かるとしたら、この学部だろうと思っていた。しかし、ハプニングが起こる。2時間目の日本史の時間に、急にトイレに行きたくなった。予想以上の寒さと、緊張のせいもあったのだろう。だが、なんとか乗り切る。普通なら、次の休み時間にトイレに行けばすむことなのだが、ボクはひとりで用を足すことができない。我慢しながら、次の3時間目を待つしかなかった。

だが、状況は好転するどころか、ますます厳しくなる。体を揺すっていないと、我慢できないほどになってきたのだ。よりによって、この時間の試験は国語。暗記している内容を、目の前にある紙に書き写せばよいだけの日本史とは異なり、読解力と考察力がすべてだ。だが、ボクの頭はトイレのことでいっぱいで、筆者の主張が入ってくる余裕など、どこにもなかった。

終わった。

1年間、頑張ってきた勉強。それは、「おしっこ」に負けた。

3月1日。合格発表初日。この日は、「問題の」教育学部と、最難関と言われる政経学部。どちらも望みは薄い。数日前に、いくつかの予備校が配布した模範解答で自己採点をすると、ボーダーラインぎりぎり。もしかしたら……という期待があったのだが、家では誰も信じてくれなかった。それは、そうだろう。トイレに行きたくて、まともに試験を受けられなかった学部と、私立大学文系学部では最難関と言われる学部だ。期待をする方が間違っているのかもしれない。

そんなわけで、ボクひとり、期待に胸ふくらませていたのだが、両親の様子はボクと好対照だった。受かるかどうかで気を揉むどころか、落ち込んで帰ってきたボクを、どのように傷つけずに出迎えるかという相談をしていたというのだから失礼してしまう。さらに、朝の情報番組での星占いコーナーが、彼らに追い討ちをかけたそうだ。ボクの星座である牡羊座の今日の運勢が「大勢の人の前で、恥ずかしい思いをする」というもの。ふだんは、星占いなど信じない彼らだが、この時ばかりは完全に諦めたと言う。

ドシャ降りだった。涙雨にならないことを祈りつつ、会場へ向かう。と言っても、自宅から5分だ。あれこれと考える間もなく到着してしまった。高校受験の時も、結局は母が見に行ってくれたので、「合格発表」なるものを体験するのは初めてだった。テレビ

183

で見るように、人込みをかき分け、掲示板の前まで進み……という光景を想像していたボクはがっかりしてしまった。かき分けるほどの人がいないのだ。すでに、他大学でいくつかの合格をもらっている人にとっては、ドシャ降りのなかを朝早くから来るほどではなかったのだろう。「他の奴とは、早稲田大学にかける意気込みが違うんだ」などとバカなことを考えながら、まずは政経学部の掲示板へ向かった。

「4664、4664、4664……」と口のなかで唱えながら、掲示板に目を走らす。

あ、あれ、おかしいな。何度見ても、間違いはない。なぜか、掲示板には4664という4ケタの数字が表示されていた。そうか、ボクの受験番号は6446だったのか、と思って受験票を取り出して確認するが、やはりそこには4664と印刷されていた。受かっていたのだ。早稲田大学に、このボクが！

信じられなかった。夢のようだった。まさか、受かっているなんて。それも全学部だ。

とにかく、早稲田大学へ行きたい。ただ、それだけだった。そこで何を勉強するかなど考えてもいなかったし、選べるほど多くの学部に合格するとも思っていなかった。1週間ほど、悩んだだろうか。

1ヵ月後の入学式。ボクは早稲田大学政経学部政治学科の新入生として、その場に臨んだ。

第3部

早稲田大学時代

心のバリアフリー

衝撃デビュー

異色集団

'96年度、早稲田大学入学式は小雨の降るなか、行われた。入学式当日のキャンパスは、想像を絶する人出。原宿・竹下通りだって、この日の早稲田大学には敵わないだろう。

1万人近い新入生が集結するだけでなく、その新入生を手ぐすね引いて待っている在校生の数が、またすごい。もちろん、自分たちのサークルに勧誘するためだ。

戸山高校の入学時にも、上級生の新勧（新入生勧誘）活動に圧倒され、少しは免疫があるはずなのだが、その比ではなかった。両手を前に出して、キャンパス内を数十分歩き回っただけで、各サークルのビラが100枚近く積み上げられる。

だが、ボクらは、まったくの蚊帳の外だった。「ボクら」というのは、アメフト部時代のチームメイト。揃いも揃って浪人し、なかよく1年後に早稲田大学に入

学した。しかし、ボクらは敬遠されて、むしろ当然だったかもしれない。この混雑のなか

でも、頭1～2個分、浮いている巨漢のリョウ。ボクらの学年のキャプテンで、貫禄充

分、オヤジ顔のナリ。黒いスーツでビシッと決め、「何か、マフィアみたい」と言われる

カゲ。そして、ボクはと言えば、髪が肩まである、いわゆる「ロン毛」。お世辞にもスー

ツが似合うとは言いにくく、友達にもさんざんからかわれた。

ボクが上級生でも、こんなメンバーがゾロゾロ歩いてきたら、まず声は掛けないだろ

う。少し歩いていると、突然、カゲが叫んだ。

「何だよ、今のヤツ。やっと、ビラを手渡されたと思ったら、オレの顔見て、引っ込めや

がんの」

「そりゃそうだろ。だって、オマエの目つき悪いもん」

「言える言える」

「何だよ、それ。オマエらだって、たいして変わらないじゃん」

新入生の緊張感など、みじんもなかった。地方からひとりで出てきているような子は、

一目で分かる。手続きでもらった紙袋をしっかりと握り締め、あたりをキョロキョロ。

いかにも心細そうだ。それに引き換え、ボクらは4年も前から高田馬場に通っている。言

わば、庭のようなもの。そして、アメフト部のチームメイトだけでなく、気心の知れた友

　……。

　あまり積極的に勧誘されることのなかったボクは、自ら興味のあるサークルを探し出

人民の

し、接触を取るしかなかった。まわりの1年生が、なかば強引に話を聞かされているなか

で、「あのー、詳しい話が知りたいんですけど」と切り出すのは、なかなか勇気が要った。

　アメフト部の他のメンバーは、大学でもフットボールを続けるようだった。「早稲田レ

ブルス」というチームがあり、戸山のOBが屋台骨を支えるようになってから、「関東で敵

なし。高校時代に果たすことのできなかった「関東制覇」の夢を、今度こそ叶えてくれそ

うな強豪チームだ。だが、レブルスはボクの選択肢には入らなかった。高校3年間、裏

方という立場でチームに尽くしてきたが、今度は自分自身が「個」として活動してみたか

ったのだ。そこで、大学ではフットボールはやらず、応援に回ることにした。

　その数は2000とも、3000とも言われる、早稲田大学のサークル。そのなか

達が多くいる。これで緊張する方がおかしい。理由はともかく、新入生らしい初々しさ

などまったく感じられない、態度と図体のデカイ連中だったことだけは間違いなかった。

心強い仲間とともにスタートを切った大学生活。そこで、ボクが選んだサークルとは

ら、ボクが選んだのは、ＥＳＳ。「English Speaking Society」の略であることからも分かるように、英語力の向上を目指すサークルだ。友達が入ったから、「英語という軽い気持ちもあったが、ふだん、口うるさいことをまったく言わない父が、「英語だけはやっとけ」と口を酸っぱくして言っていたのが頭にあった。

友達と連れ立って、ＥＳＳの説明会に行ったボクは、度肝を抜かれてしまった。例年、４００人は入ろうかという大教室が、半分以上も埋まっている。先輩の話によると、例年、２００人前後の新入生を迎えるという大所帯だ。驚かされたのは人数だけではない。このＥＳＳは、活動内容がハードなことでも有名らしいのだが、ボクは、その実態をすぐに思い知らされることになった。

入会した初日。「ハイ、これ」と、英語がビッシリ書き込まれている冊子を手渡された。

「何ですか？」と尋ねると、先輩はサラッと「あ、それ、今月末にあるスピーチコンテストの教科書」と言う。き、聞いてない……。

そのスピーチコンテストは、通常のものとは、やや趣が異なっていた。普通は、各自の考えを英語でまとめ、それを観衆の前で発表するというものだが、今回のコンテストでは、参加者全員が、まったく同じスピーチをする。そして、男子に課題として与えられたスピーチは、「人民の人民による人民のための」という、リンカーンの有名な演説だっ

た。まずは、暗記するところから始めなければならない。その日から、ボクはトイレのなかでも「ピープル、ピープル」とツブヤク変なヤツにならざるをえなかった。くそー、せっかく受験勉強が終わったと思ったのに。

ファイナリスト

その冊子を開くと、まるで楽譜のようだった。ここは、強調する。ここは、比較的スラスラと。ここは、ゆっくりと情熱を込めて。全員が、同じ内容をスピーチするのだから、優劣を決める対象となるのは、英語の発音はもちろん、力強さ、雄大さ、スピード、抑揚などの「読み方」の部分になってくるのだ。大統領のスピーチなのだから、いかに堂々とスピーチするかも、評価の大きなポイントとなる。

ん、待てよ。態度のデカさなら定評があるハズ。英語の発音はともかく、人前で話をすることは、あまり苦手ではないぞ。中学校の時には、生徒会の役員をやっていたし、高校の卒業式でも、卒業生代表でスピーチをした。緊張の「き」の字も感じない。これは一丁、ファイナリストとやらを狙ってみるか。

ファイナリストというのは、ひらたく言うと、決勝戦進出者のことだ。200人前後の新入生が一気にスピーチをしたのでは、日が暮れてしまう。そこで、本番の1週間ほど

前に上級生がジャッジとなり、予選が行われるのだ。そこで評価された上位10人が、ファ

イナリストとなり、本番当日に大勢の前でスピーチをすることとなる。

200人中、男子が100人とすれば、ファイナリストは10人にひとり。なかには、帰

国子女までいるというから、かなりの激戦だ。発表は、3年生が部室で行った。名前が読

み上げられるたびに、どよめきや拍手が起こる。8人目を過ぎても、ボクの名前は呼ばれ

ない。やっぱり、ダメか。そう思った時に、「乙武くん、新宿ホーム」と呼ばれた。

新宿ホームというのは、チームのようなものだ。ESSでは所属人数が多すぎるため

に、住んでいる地区ごとにグループ分けがされる。ふだんは、そのグループで活動するの

だが、今回のような大会にはすべてのグループが参加し、対抗意識ムキ出しで争うのだ。

そして、新宿に住んでいるボクは、「新宿ホーム」に所属していた。

ボクの名前が読み上げられると、新宿ホームの仲間は大盛り上がり。まるで、自分が

選ばれたかのように喜んでくれた。

「オト、当日も頑張れよ」

「会場まで応援しにいくからな」

そんな声援を受けながら、ボクは冷静に考えていた。待てよ、帰国子女までいる英語の

うまい奴等と並べられちゃ、態度の大きさだけで選ばれたボクとは雲泥の差。大勢の前

で、みっともないことにならなければいいけどなぁ。

Mr. OTOTAKE

当日は、スーツを着てこいと言われた。会場も、どこかの教室などではなく、地区会館などを貸し切って行われるという。予選では上級生が務めていたジャッジも、本番では英語を母国語とする外国人が務めるそうだ。なんだか、思っていたよりも本格的だ。本当にボクなんかが出てしまっていいのだろうか。そんな不安な気持ちになってきた。

少しでも恥をかかないように、あらためて発音の練習に励んだ。「ヴ、ヴ」日本語の発音にない「v」の音は、意識的に下唇を嚙まねばならず、要注意だ。「L」と「R」の違いもむずかしいし、「th」などは、何度やっても空気漏れのような音しかでない。こんな調子で、だいじょうぶなんだろうか……。

ボクの出番は遅く、午後の部だった。前半に出場したファイナリストたちは、やはりうまい。ちゃんと、「英語」をしゃべっていた。昼食のための休憩に入ったが、食事がノドを通らない。ひとりで、ブツブツ練習していた。こんなに緊張するなんて、自分でも驚くばかりだった。

くそー、日本語でのスピーチなら、誰にも負けない自信があるのに。よりによって、英

語だなんて。高校時代だって、「3」しかもらったことないのに……。ここまで来ると、本来の負けず嫌いが頭をもたげて、「英語力の向上」という当初の目標は、どこかへ吹き飛んでしまっていた。

「Fourscore and two years ago」ボクがスピーチを始めると、会場がシーンと静まり返った。その静寂は、なんとも言えず心地のよいもので、ボクはなかば陶酔していた。人前で話すということは、こんなに気持ちのよいものだっただろうかと、不思議に思うほどだった。「人民の〜」というくだりでは、自分自身が大統領であるかのように思えた。「こいつは、バカか」と思われそうだが、本当の話だ。

「First Prize、Mr.OTOTAKE（優勝は乙武くん）」

誰が優勝するんだろうと思って、キョロキョロとあたりを見回していたボクを、みんながいっせいに振り返る。一瞬、何が起こったのだか分からなくなった。たしかに、聴衆を魅きつけたという自負はあったが、まさか優勝するなどとは、夢にも思っていなかった。家に帰り、びっくりするほど立派なトロフィーをボンヤリと眺めた。

「何かが起こる」ことを期待して入った早稲田大学。これは、もしかしたら想像以上のことが起こるかもしれない。とてつもないストーリーの始まりなのかもしれない。

宝の持ちぐされ

Vintage '96

劇的な優勝から2ヵ月後、ボクはESSを辞めてしまっていた。もともと、友達のつきあいで入ったサークルで、初めから4年間続けるつもりはなかった。かといって、たった2ヵ月で辞めるつもりもなかったのだが……。これには、ふたつの理由があった。

まずは、活動に嫌気が差したこと。スピーチの次に英語劇があり、その練習のために、大学前の広場で大声でセリフを言わされた。これが、恥ずかしい。「ボクは、お遊戯をするために入ったんでもないし、演劇部に入った覚えもないぞ」と、なんだかんだと理由をつけては練習をサボった。この英語劇は、明らかにボクの辞める時期を早めた。

ふたつ目は、他のサークルが忙しくなってきたこと。どちらかというと、こちらが本当の理由だった。ボクの入っていた、もうひとつのサークルとはAIESECという学生団

体。日本語名を「国際経済商学学生協会」と言い、名前のとおり、国際交流やビジネスに深い関わりがあった。学生に対して就職に関するセミナーを開いたり、海外の企業との間でインターン・シップ（実習訓練）を促進させたりというのが、主な活動内容だ。ボクは、入学当初から、こちらのサークルに本腰を入れており、夏の一大イベントが近づくにつれて、その準備が忙しくなってきた。

「Vintage '96」という夏のイベントは、先輩たちが約1年がかりで準備してきたものだった。100万円単位でお金が動く、かなり大掛かりなイベントだ。だが、学生が運営している以上、そんな大金は天からでも降って来ない限り、手にすることはできない。そこで、企業まわりをする。

まずは、電話で概要を話し、アポ取り。この段階で電話を切られることもしばしばだ。スーツを着て、名刺を携え、いざ企業へ。AIESECとは、どういった団体なのか。そして、今回のイベントは、何を目的に、どんなことをするのか。ここまで話して興味を持ってもらえると、今度はお金の話に移る。資金面での協力をしてほしい、ということだ。

せっかく学生という身分なのに、どうして社会人の真似事のようなことをするのかという批判もあったが、この「渉外」と呼ばれる活動は、ボクにとって大きな魅力があった。肝心の内容だが、これが一口に説明するのが難しい。ビジネスという切り口で、ライフ

デザイン、つまり「どう生きていくのか」を考えようというテーマで、アジアを中心とした海外の学生を招き、セミナーを開催。代々木にあるオリンピック・センターの宿泊施設を借りて行われ、1週間前後の長丁場となる。昼は、各国のビジネスについて討論がなされたり、日本のビジネスの現状を視察に行ったり。そして、夜は夜で大盛り上がり。

やはり、そこは学生だ。国境を越えた大宴会が催される。各国から持ち寄られた料理、おつまみ、お酒でドンチャン騒ぎ。毎日、睡眠時間が3～4時間という生活だった。

楽しかった。この夏、最大の思い出だ。イベント中や、終わった直後は、そう思っていた。ただ、その後の活動を続けていくうちに、それだけではないことに気付いた。ボクのなかに、しっかり「Vintage'96」の意図していたことが根付いていたのだ。

この夏を終え、ボクは「どう生きていくのか」を真剣に考えていくことになる。

転機

ある秋の夜長、なかなか寝付けずにいたボクは、ぼんやりと考えごとをしていた。さて、これから、どのようにして生きていこうか。

「どう生きていくのか」という問いは、そのまま「どのような人間になりたいのか」「何を最も大切にしていくのか」という問いにつながっていった。そこで、ボクは大切なこと

に気付いた。

それまで、ボクが最も重要視していたのは、今から考えてみると、お金や地位・名誉といったものだったと思う。中学・高校を通して憧れていた弁護士も、「弱い立場の人を救いたい」という思いからではなく、そのカッコよさ、収入の多さから来る憧れだった。

AIESECに魅力を感じたのも、国際交流という部分ではなく、ビジネスという部分だったことは否めない。「異文化を理解したい」という思いよりも、ビジネス界で一旗あげて……という野望のような気持ちの方が強かったのだろう。悲しいことだが、これは認めざるをえない事実だった。

だが、そのような自分の価値観に気付かされた時、ハッキリと「そんな人生はイヤだ」と思えた。どんなに大金を持っていたって、死んでしまったら意味がない。また、いくら地位や名誉があったところで、まわりから嫌われていたら、そんなにつまらないことはない。つまり、お金や地位・名誉があっても、いい人生とは限らないのだ。

では、大切なことって何だろう。この問いに対する答えは、人それぞれ違って当然だと思う。やっぱり、お金や地位・名誉がいちばんだと考える人もいるかもしれない。それが、「価値観の違い」と言われるものだ。

ボクの答えは、比較的すんなりと出てきた。他人や社会のために、どれだけのことがで

きるのか。まわりの人に、どれだけ優しく生きられるのか。どれだけ多くの人と分かり合えるのか。どれもむずかしいことではあるけれど、これが実践できれば、ボクの人生は幸せだったと胸を張れる気がする。ただ、どれを目指すにしても、絶対に譲れない大前提があった。それは、「自分を最も大切にしながら」というものだ。

すると今度は、「大切にすべき自分」とは、一体、何者なんだろうということになる。

「人間は、なぜ生きているのだろうか」などと、哲学者のようなむずかしいことまでは考えなかったが、あらためて、自分とはどういった人間なのだろうかと考えさせられた。

ここで、真っ先に出てきたのは「障害者」という3文字だった。このことは、まわりからみれば、ごく自然な流れなのかもしれない。だが、ボクにとっては驚くべきことだった。それまで、自分が障害者だということを意識して生きてきたことがなかったのだ。

ある程度のことであれば、身の回りのことも自分でできてしまう。どうしてもできないことがあっても、両親や友達などが「やってあげる」ではなく「あたりまえのこと」として、自然に手助けをしてくれる。障害者だからといって、いじめを受けたこともなければ、何かを制限されたという記憶もない。「自分には手足があり、健常者とまったく同じだ」などと思い込んでいたわけではないが、自分が障害者であるということを自覚する必要も、機会もなかったのだ。

ボクが小学校高学年になると、子どもの頃からお世話になっている医師から、母は次のようなことを言われたそうだ。

「いやぁ、普通、こういった障害を持つ子は4～5歳になると、周囲と自分との差異に気付き、『ねぇ、どうしてボクには手や足がないの?』などという質問をするものなのですが、ヒロ君の場合は、結局そんなことはありませんでしたねぇ」

母は、これを聞いて「なんだか、『お宅の息子さんは、ちょっとオカシイんじゃないですか』と言われてるみたいで恥ずかしかったわよ」と言っているが、たしかに、そんな質問をした記憶も、そんな疑問を抱いた記憶もない。「障害者」としてではなく、あくまでもひとりの「人間」として生きてきたのだろう。

であるならば、どうしてボクは障害者なのだろう。多くの人が健常者として生まれてくるなか、どうしてボクは身体に障害を持って生まれてきたのだろう。そこには、きっと何か意味があるのではないだろうか。

障害者にはできないことがある一方、障害者にしかできないこともあるはずだ。福祉という観点から考えてみたい。政治家や官僚の立場から「福祉が大事だ」と叫んでもらうことは、もちろん大切なことだ。しかし、実際に車椅子に乗っているボクのような人間が、一段の段差を前に、「ボクたちにとっては、この一段の段差が何よりの壁なんです」

と訴えた方が、影響力は強いように思う。これは、ほんの一例であって、障害を持った人間しか持っていないものというのが必ずあるはずだ。そして、ボクは、そのことを成し遂げていくために、このような身体に生まれたのではないかと考えるようになった。

次の瞬間、頭に浮かんだのは「何やってるんだ、自分は」という思いだった。もし、そのような役目を担って生まれてきたのであれば、ボクはとても、もったいない生き方をしていることになる。せっかく与えてもらった障害を活かしきれていない。言ってみれば、「宝の持ちぐされ」なのだ。

ただ、障害を持っているというだけではダメだ。それでは、お門違いの特権意識になってしまう。障害を持っているボク、乙武洋匡ができることとは何だろうか。もっと言えば、乙武洋匡にしかできないことは何だろうか。この問いに対する答えを見つけ出し、実践していくことが、「どう生きていくか」という問いに対する答えになるはずだ。

ここまで考えがたどり着いた時、時計は夜中の2時を回っていた。しかし、すっかり興奮したボクは、それからもしばらくは眠ることができずにいた。「生きる」ということが、こんなに楽しいと感じたのは初めてのことだった。

ボクの人生は、大きなうねりを生み出しながら動き始めた。'96年11月13日、一生忘れられない夜となるだろう。

早稲田のまちづくり

偶然の再会

動き出した流れは、止めることができなかった。そして、ボクは早くも翌日から、その流れに飲み込まれることとなる。そのタイミングのよさは、まさに神がかり的だった。

前夜の寝不足がたたり、やや朝寝坊。眠い目をこすりながら、1時間目の授業へと向かう。その時、「お〜い、乙武くん」と、ボクを呼ぶ声がした。振り返ると、そこに立っていたのは横内さん。偶然の再会だった。

横内さんと会ったのは2ヵ月前。ボクが、AIESECで企業を回っていた際に担当してくれたのが彼だった。彼の勤務先とは東京コロニーという会社で、働く意志と能力はありながらも、一般企業に就職することの難しい重度の障害者を雇用し、印刷業務やコンピュータを使った仕事をすることで、彼らに自立の道を提供している、半官半民の社

会福祉法人だった。

しかし、まだまだ利益は少なく、彼らが自立できるだけの賃金を得ることは、なかなかむずかしいという。そのような会社に、資金援助のお願いに行ったボクらは、まったくの勉強不足であり、見当違いもいいところだった。しかし、横内さんは、そんなボクらを嫌がることなく、さまざまな話をしてくれた。福祉、環境、会社、コンピュータ。誠実な人柄と思慮深さが端々からうかがえる彼の話しぶりに、ボクらは一気に引き込まれた。

最後には、事務所や印刷工場の現場なども案内してくれ、たった1日だったが、ボクの心に強烈な印象を残した人だった。

その横内さんが、早稲田大学のキャンパスに立っている。その事情は、次のようなものだった。

'96年12月から、東京23区内の事業系ゴミが有料化されることになった。そのことを念頭に置いた早稲田の商店会が、「ゴミを出しただけでお金を取られたんじゃ、たまらない」と、夏頃からリサイクル運動を始めるようになる。そして、その夏、「エコ・サマー・フェスティバル・イン・早稲田」というイベントを開催した。

この「エコサマ」誕生の経緯は、なかなかおもしろい。早稲田大学の本部である西早稲田キャンパスには、ふだんは3万人の学生がいる。街の人口が2万人強ということを考

れば、夏休み中の早稲田の人口は半分以下になってしまう。夏休みに入ると店を閉めてしまう商店も少なくない。そこで、「夏枯れの街は淋しいね。何か、やろうよ」ということになって、イベント開催が決定した。

イベントの内容としては、小学生の合唱コンクールなど、さまざまな案が出されたが、最後には「環境をテーマにしよう」ということで落ち着いた。その背景に、事業系ゴミの有料化があったのは言うまでもない。そして、この動きに強力な助っ人が後押しする。

新宿区は、「全面的に協力する」との約束をしてくれ、早稲田大学は、大隈講堂前の広場を貸してくれるという。大学の施設を地元に無料で貸すなど、創立以来、初めてのことだそうだ。こうして、条件がそろった。

話は、どんどん進んでいく。「環境をテーマにしたイベントで、会場からゴミがワンサカと出てきたんじゃ、カッコ悪いよね」ということになった。そこで、会場に「空き缶回収機」などの環境機器を設置し、イベントでの「ゴミゼロ」を目指した。この結果がスゴイ。当日は天気が悪く、ジュースやビールが200本しか売れなかったはずなのだが、回収機に集まった空き缶の数は1300。売ってもいないペットボトルが、130本以上集まった。全国でも珍しいこの取り組みを、NHKなどマスコミも取り上げた。1年目の試みは、大成功を収めた。

しかし、ある大学関係者から「学生のいない夏休みにやって、何が成功だ」と言われた。「売られたケンカは買うしかない」と、キャンパスが学生であふれている時期に、もう一度チャレンジしてみようということになった。それが、今回の「ゴミゼロ平常時実験」だ。早稲田大学で1日に発生するゴミの量と、その組成調査が目的だという。

そして、この動きを個人的な立場でサポートしてきた横内さんが、今日は応援のために、早稲田へやって来たということだった。

出会い

会社の仕事とは、まったく関係のないところで、このような活動をしているなんて、やっぱり横内さんという人はスゴイなぁと感心していると、向こうからひとりの紳士が近付いてきて、横内さんに紹介を求めた。彼は木谷さんといって、早稲田地区を管轄している新宿区西清掃事務所の所長さんだった。木谷さんもまた、この早稲田の動きを応援しているひとりだという。

ふたりから、活動内容をもう少し詳しく聞いているうちに、木谷さんの口から、とんでもない言葉が発せられた。

「ボクらは、数ヵ月間活動してきたが、街が抱えている問題は、ゴミ・リサイクル問題だ

けではないことを学んだ。

震災対策や地域教育など、さまざまな問題を含んでいる上に、それらが複雑に絡み合っている。そのため、どれかひとつだけを解決していこうと思っても、なかなかむずかしいのだ。結局は、すべてを解決する方向で動いていかなければ、何も変わらない。そこで、ボクらは、これから『まちづくり』という観点から多角的な方向へ動いていこうと思っている。そのなかで、『バリアフリー』と呼ばれる、障害者・高齢者への対策にも積極的に取り組みたいんだけれど、こればかりは当事者である人々の意見が反映されなければ、まったく意味がない。そこで、君の力を是非ともお借りしたい。一緒にやってみないか」

耳を疑った。「自分の障害を活かすような生き方をしていきたい」と考えるようになってから、まだ一夜しか明けていない。ほんの、7時間ほど前のことだ。それが、いきなり「実践」という場を与えられた。この流れは、何なのだろう。恐ろしいほどの力が働いているとしか思えない。とくに宗教を信仰しているわけではないボクでも、神の存在を信じざるをえないほどだった。

「よろしくお願いします」

気付くと、ボクは返事をしていた。「バリアフリー」とは、「障害者や高齢者にとって障壁となるもの（バリア）を取り除く（フリー）」という意味だが、この言葉を聞いたの

さえこの時が初めてというボクに、一体、何ができるのだろうか。そんな不安がないわけではなかったが、天が与えた絶好のチャンスを逃すわけにはいかない。大学生活の、いや、人生の新しい幕開きだった。

多士済々

この動きのリーダーは、早稲田商店会会長の安井さん。この人が、とにかくオモシロイ。抜群のリーダーシップと強烈なインパクトを与えるスピーチで、一大ムーブメントを起こしている中心人物だ。早稲田の活動の原点ともなっている「安井語録」なるものがあるので、いくつか紹介したい。

「うちの商店会では、『失敗』と書いて、『経験』と読むんだ。つまり、失敗をしないということは、経験を積まないということ。俺たちは行政じゃないんだから、失敗を恐れずに、どんどん動いていこう」

「市民参加という言葉があるが、俺たちがやっているのは、そんなスタイルじゃない。俺たちが場を作って、そこに行政に加わってもらう、言わば『行政参加』なんだ」

これらの発言は、一見ユニークなものに見えるが、実は誰もが持っていなければならない、あたりまえの感覚なのだ。だが、これらが彼独特のセンスにあふれた言葉で語られる

207

と、「お、なんだか早稲田の街でおもしろそうなことやってるぞ」となる。

また、彼の最大の魅力は、その風貌かもしれない。木谷さんが、「見るからに切れ者という男が話したんじゃ、そこまでのインパクトは出ないよ」と言うように、彼の丸い顔と丸い体は、初対面であっても親しみが持てる。

活動のおもしろさに、安井さんという「個」の魅力が加えられ、早稲田の動きに商店会の外からも人材が集まってきた。前出の木谷さん、横内さんを始め、行政・企業・大学教授・学生・マスコミなど、さまざまな立場の人間が集まってきた。まさに多士済々というところ。その様子を見て、木谷さんが「水滸伝の梁山泊のようだな」と評したのも、うなずける。

しかし、これだけの人間が集まると、不都合なことも出てきた。それは、いかにして意見の交換をするかという点だ。いざ、ミーティングを開こうといっても、全員の予定が一致することは、まずむずかしい。万が一、日程の都合が付いても、今度は時間帯の問題がある。行政や企業の仕事が7～8時に終わったとしても、9時まで営業している商店は、10時を過ぎなければ時間を取ることができない。そこへ、教授や学生の予定も入ってきたら……とても、会合を持てる状況ではない。そこで、導入されたのが、インターネットの電子メールを用いたやりとりだ。

RENET（リネット）

ここで、またコンピュータとの再会となる。岡先生の仕事を引き受けた小学生時代、アメフト部で相手チームの分析を手掛けた高校時代に次いで、3回目の出会いだ。だが、今度はインターネットという未知の世界との遭遇。これが、おもしろい。

通常、電子メールの世界では、手紙のやりとりと同じように、ひとりひとりが「アドレス」という住所のようなものを持っており、そのアドレスに宛て、メールを送る。しかし、ボクらが採用したのは、さらに一歩進んだ「メーリング・リスト」という方式だった。

ボクらのメーリング・リストはRecycle—net の略で「RENET」と名付けられた。そのRENETでひとつアドレスを持ち、そのアドレスへメールを送る。すると、そのメーリング・リストに登録している全員に、まったく同じ内容のメールが届くという仕組みだ。そのメールに返信を送れば、そのメールが、また全員へ送られる。言わば、24時間ミーティングをしているようなものなのだ。

さらに魅力なのが、海外との通信だ。誰かが、「この問題については、RENET海外メンバーによって、ロンドンやっているんだろう」と問題提起をすると、ロンドンや

ニューヨーク、バンクーバーなどから、メールで各国の事情が送られてくる。このやりとりが、ほんの数秒で行われてしまうのだ。インターネットが、ここまで力を発揮するとは思ってもみなかった。

ボクは障害を持ってはいるが、幸いにして元気に外を飛び回っている。しかし、ボクと同じような障害を持っている方のなかには、肉体的・精神的理由によって、なかなか家のなかから出られずにいる方もいる。そのような方々にとっては、ボク以上に、このコンピュータというツールが大きな武器となってくるのではないだろうか。このインターネットという、家にいながらにして世界中を飛び回れるツールは、家のなかに閉じこもることを余儀なくされてきた人々にとって、画期的なものだろうと思う。コンピュータとの3度目の出会い。インターネットという武器と新たな仲間を得て、いよいよ大海原へ漕ぎ出していく。

エコ・サマー・フェスティバル

ケネディが残したもの

第1回のエコサマを開催し、「ゴミゼロ平常時実験」を成功させたメンバーを中心に、「早稲田いのちのまちづくり実行委員会」が結成された。

「いのちのまちづくり実行委員会」には、6つの分科会がある。先端機器とユニークな発想で、早稲田独自のリサイクル・システムの構築を目指すリサイクル部会。「まちのバリア」「大学のバリア」「こころのバリア」を取り除くことを目指すバリアフリー部会。「自分たちの街は自分たちで守る」を合い言葉に、街ぐるみの防災を考える震災部会。ボクらの活動の生命線ともいえるインターネットの拡充・発展に努める情報部会。この早稲田という街を誇りに思ってもらえるよう、また、ボクらの取り組んでいる課題に問題意識を持ってもらえるようなイベントを開催する地域教育部会。「楽しく、儲かる」リサイクル

を軸に、零細商店、地元商店会の活性化を図る、元気なお店部会。以上の6つだ。

そして、第2回の『エコ・サマー・フェスティバル・イン・早稲田』では、リサイクルについてのみ語られた前年とは違って、各分科会が独自の切り口で催し物を行った。

早稲田実業高校ブラスバンド部の演奏で幕が開き、大隈小講堂でのエコ・フォーラムでは「まちづくり」に関して貴重な意見交換がなされた。震災部会は地震体験のできる起震車を呼び、地元消防団は、救助訓練を披露。インターネットを自由に体験できるコーナーでは、未知の世界に子どもたちが目を輝かせ、炎天下のフリーマーケットは、多くの人で賑わった。ボクと横内さんが担当した「チビッコ車椅子体験」では、子どもたちが車椅子で早稲田の街をぐるり。「車椅子って、たいへんなんだね」と、目を白黒させていた。

最後の締めは、新宿交響楽団による夕涼みコンサート。「ゴミ問題と音楽って、どんな関わりがあるの」という声も上がったが、これには実行委員長である安井さんの強い思い入れがあった。

彼が子どもの頃、ロバート・ケネディが来日し、大隈講堂で講演をしたことがあった。「米帝国主義打倒」を謳っていた当時、ケネディが講演を終え、大隈講堂から出てくると、学生がケネディを取り囲み、「帰れ、帰れ」の大合唱となった。「何かが起こるぞ」と、これを遠巻きに見ていた安井少年は、信じがたい光景を目にした。「ボクには、知ってい

る歌がひとつある」と、マイクを取ったケネディが、早稲田大学の校歌「都の西北」を歌い始めた。すると、不思議なことに、今まで罵声を浴びせていた学生が、一緒になって「都の西北」を歌い出したというのだ。

安井さんは、鳥肌が立った。思想・信条・哲学をも越えて、人の心をひとつにしてしまう音楽。この音楽というものを街の子どもたちが聞いて、何かゾクゾクするような感覚を覚えてくれれば、この街はきっとよくなる。そのような想いがあった。

薄暗がりの空の下で、新宿交響楽団による演奏。すばらしい音色に街の心がひとつになった。

申し入れ

ボク自身、エコサマに関わったのも、この第2回からだ。新聞の折り込みチラシとして、1万世帯の家庭に配られるエコサマ広報の作成。「30年後、この街からバリアがなくなる」ことを願って行った、チビッコ車椅子体験の指揮。フォーラムにおいて、そうそうたるメンバーが熱く交わした討論の後を受けてのファイナル・スピーチ。任されている仕事は多かったが、なかでもいちばんの大役は、バリアフリー申し入れ書の提出だった。

早稲田大学は、門のない「開かれた大学」を目指しているが、障害者にとっての門は、

213

高く険しい。シンボルとも言われている大隈講堂は、車椅子のままでは入ることができないし、エレベーターや車椅子トイレの設置されている校舎も、まだまだ数えるほど。障害を持つ学生が、快適なキャンパス・ライフを送れるという状況には程遠いというのが現状だ。

そこで、エコサマのオープニング・セレモニーで、大学のバリアフリーを進めてほしいという申し入れをすることとなった。そして、その文書も、バリアフリー部会の責任者である乙武が書け、ということに。他のメンバーに、いくつかの修正を入れてもらって完成したのが、以下の文だ。

〈私共「早稲田いのちのまちづくり実行委員会」は、昨年のゴミゼロ実験を契機に、早稲田のまちづくり全体に目を向けようという気運が生まれ、現在「環境と共生のまち」を目指して活動を展開している団体です。具体的には、早稲田の住民、商店主、大学、企業、行政、学生など、早稲田の街に愛着を持ち、早稲田の街づくりに関心を抱くさまざまな人々が集い、活動を進めております。

さて、近年、社会に拡がりつつある言葉として「バリアフリー」があります。このバリアフリーとは、「共生」の街づくりを進める上で大切なキーワードであり、私たちは最も

重要なテーマとして、このバリアフリーに取り組んでいきたいと考えています。

ところで、このような視点から早稲田大学を見ますと、障害者に対する配慮が十分になされていないのが実状です。伝統ある本部キャンパス内には、車椅子のままでは建物のなかに入ることすら困難な校舎もあります。自力での歩行が困難であり、車椅子から離れることのできない学生にとって、そのような校舎はバリア以外のなにものでもありません。

奥島総長もおっしゃっているように、早稲田大学には「開かれた大学」というすばらしい理念があります。しかし、真の「開かれた大学」となるためには、障害者でも自由に学べる環境が必要ではないでしょうか。

このような障害をとりのぞくためには、費用と時間がかかることはいうまでもありません。また技術的に検討すべき点も少なくないと思います。そこで、バリアフリーの実施に付随する諸問題を含め、ぜひ私たちと共に考えていただきたく、お願い申しあげる次第です。

早稲田大学が「障害者にも開かれた大学」となれば、他の大学は競ってこれに倣うでしょうし、社会のバリアフリーへの気運も一気に高まることでしょう。また、我々早稲田に住む者にとっても大いに誇りとなります。何よりも、爆弾テロにより体が不自由となっ

215

た創設者・大隈重信も、大学のバリアフリー化を望んでいらっしゃることと思います。こ
れからはぜひとも、大学と地域が一体となって、21世紀へ向けた早稲田のまちづくりを共
に進めていきましょう。

〈ご検討のほど、よろしくお願いいたします〉

この文書は、海外へ出張中の総長の代わりに、エコサマに出席する副総長に手渡され
ることになった。大勢が見守るなかでのセレモニー、やはり緊張した。

しかし、これが評判がよかった。ボクが、「友人には、『オマエ、大学の設備が整った
ら、授業に行かなくちゃならなくなるぞ』と言われています」と笑いを取ると、副総長
も、「乙武くんに、学校へ来ない言い訳を与えないよう、前向きに検討したい」と応酬。

大いに、観衆を沸かせた。

これは、ただのリップサービスに留まらず、しっかり生かされた。'98年春に完成した新
校舎は、エレベーターや車椅子トイレを完備した「バリアフリー校舎」となったし、キャ
ンパス内の段差に板を敷き、車椅子でも通れるようにするなどの配慮も見られた。

ボクらの活動が、こうして目に見える形で実を結んでいくと、やはり充実感でいっぱ
いになる。さて、次は何をしようか。

「いいんだよ」

ドリフ!?

半年ほど経っただろうか。新聞、TVなどで、ボクの早稲田での活動が紹介されるようになると、小・中学校を中心に、各地から講演依頼が来るようになった。これも、「ボクにしかできないこと」という思いで、日程の都合がつく限り引き受けるようにしているが、やはり最初は慣れないこともあり、戸惑うことも多かった。こんなエピソードがある。

大学の前期試験が終わる翌日という日程で、講演を打診された。体力的に、少々キツイかなとも思ったが、静岡県にある短大だという。「短大」＝「女の子がいっぱい」というオメデタイ発想で、ついつい引き受けてしまった。しかし、当日は地元の人々にも聴講が認められているということで、会場の前列を埋めていたのは短大生ではなく、元・お

姉様方だった。

無事に講演を終え、帰ろうとすると、そのうちのひとりが駆け寄り、「先生！」と呼んでいる。ボクは、てっきりボクのことを招いてくれた教授を呼んでいるのだと思って、後ろを振り向いたのだが、誰もいない。「え、まさか『先生』って、ボクのこと？」と困っていると、「サインをください」と手帳を広げ始めた。

慌てて、「サインなんか、できませんよ」と断ったが、「名前と日付を入れてくださるだけで感激です」と言われては仕方ない。渡されたサインペンで、『乙武洋匡』'97・7・15と書き入れ、「これでいいですか？」と顔を上げたボクは、しばらく固まってしまった。

なんと、彼女の後ろに10人近くが並んでいるではないか！

肘までもない短い腕と、ほっぺたの間にペンをはさみ、字を書く様子が珍しかったのだろうが、アイドルでも著名人でもないボクが、まさか「ミニ・サイン会」を開くことになるとは、夢にも思わなかった。

講演をしていて最も楽しいのは、やはり子どもたちとのふれあいだ。30分から1時間ほどの話をした後で、子どもたちからの質問を受けるコーナーを設けるのだが、子どもたちの質問には、いつも驚かされる。というよりも、笑わされる。素朴というか、観点がおもしろい。

東京都北区の小学校。ひとりの男の子が、手を挙げた。彼の質問は、「乙武さんはメガネを掛けていますが、どのようにして取り外しをするんですか？」という意表を突いたものだった。ボクは、短い両手でメガネの両端をはさみ、メガネを外し、また掛けてみせた。子どもたちの間に、どよめきが起こると同時に、「すげぇ、カッコイイ」という声が上がった。ボクは、「メガネの掛け方・外し方に、カッコイイもカッコ悪いもないだろう」と思っていたら、反対側から、「超ハンサムじゃん」という声が。「おお！ 何だ、顔のことか」と気をよくしたボクは、その日の給食で出たゼリーのボクの分を、彼にあげてしまった。

小学生ながら、社交辞令のうまい子だった。

東京都・西多摩郡の中学校。子どもたちからの質問が予想以上に多く、時間内では全員の質問を聞くことがむずかしくなってきた。そこで、先生は「そろそろ時間になってしまいました。そこで、乙武さんに、どうしてもこれだけは聞いておきたいということがあったら、最後に聞いてみましょう」とまとめた。

グルッと会場を見まわすと、ひとりの男の子が手を挙げている。

「ハイ、じゃあ岩崎君」

「……あのー」

「どうしたの？　岩崎君のどうしても聞いておきたい質問を、乙武さんにしてごらん」

「ドリフターズでいちばん好きなのは誰ですか?」

先生のマイクを持つ手は震えていた。

思い起こせば

今では、ボクの生活の中心になりつつある講演活動。多い時には、月に10本ほどになることもある。「学校の授業の合間を縫って、講演活動をなさってるなんて、たいへんですね」と言われても、冗談で「いやぁ、講演の合間を縫って学校に行ってるんですよ」と言うくらいだ。

好きな散歩にいく時間や、友達と遊びに行く時間もなかなか取れない。

少々、キツイかなと思うような時が、ないわけでもない。しかし、そんな時に支えとなってくれるのが、初めて講演をした時の出来事だ。

「早稲田いのちのまちづくり実行委員会」として、一連の環境プロジェクトに取り組んでいくうちに、子どもの頃からの教育が必要であるということが、あらためて分かってきた。そこで、「親と子どもの環境学習講座」というものを開いた。ボクらが取り組んでいる、ゴミ・リサイクル問題や、震災問題、バリアフリーといった問題を、子どもたちに分かりやすく教えていこうというのが狙いだ。

そこで、「バリアフリーについては、乙武が講師をやれ」という話になってきた。人前

で話をすること自体には、たいして抵抗を感じないが、バリアフリーについての話をしろと言われても、なんの知識もない。だいたい、「バリアフリー」という言葉を知ったのさえ、まだ1ヵ月ほど前のことだ。自分が障害者だと自覚を持ち始めたのも、わずか1ヵ月前。そんな男に、なんの話をしろというのだ。

いったんは断ったものの、木谷さんがボクを推す意志は固かった。

「たしかに、君はバリアフリーというものへの知識は乏しいかもしれない。だが、それを補うに十分な『経験』があるじゃないか。障害者として20年余り生きてきたなかで感じたことなどを、君の感性、君の言葉で、率直に語ってくれたらよいと思う。その方が、子どもたちにも伝わるんじゃないかな」

この人にあっては、敵わない。ボクと安井さんは、木谷さんを「日本一のおだて上手」と呼ぶ。それほどに、人を誉めるのがうまい。その人の能力を上手に引き出し、いつの間にか、本人をやる気にさせてしまう。この一連の早稲田の動きも、木谷さんに焚き付けられて、ここまで来たと言っても言い過ぎではない。そして、今回もやられた。

場所は、早稲田大学から程近い戸塚第一小学校体育館。'96年12月25日のクリスマス。講演と言うよりも、何人かが話すうちのひとりという感じではあったが、ボクのデビュー戦だった。

221

木谷さんは、新宿西清掃事務所の所長として、ゴミの話をした。OHPという、壁面に字や図を映し出せるシートに、35年前と現在の東京湾を重ね合わせ、どれだけ埋め立てが行われてきたのか示した。これには、子どもたちだけでなく、ボクらも息をのんだ。

コンピュータにも詳しい横内さんは、機材を体育館に搬入して、インターネットの世界を披露。初めてホームページなどを見た子どもたちは、興味津々だ。実行委員会のメンバーでもある新宿区リサイクル推進課の課長・楠見さんは歌や踊り、クイズなどを交えながら、楽しく、分かりやすく、リサイクルの重要性を訴えた。

これだけのメンバーに、これだけのことをやられたのでは、気負わずにはいられない。だが、「子どもと同じ感覚で」がボクの売りと思い、へんにカッコつけるのはやめ、ふだんどおりの話し方で始めた。子どもたちが知らないだろう車椅子に乗っている人間の日常生活。それでも、同じ人間としては、何も変わらないということ。そして、障害の有無に拘わらず、ひとりひとりの人間が大切であること。

子どもたちの反応は、予想以上だった。付き添いで来ていた親までもが、真剣に耳を傾けてくれていた。

主催者の安井さんの言葉で、講座が締めくくられる。「乙武くんは、『ボクじゃなければ、できないことがある』と言いました。この言葉が、今日、集まってくれた子どもたち

第3部　心のバリアフリー

の心のなかに入って、『あのお兄さんにしか、できないことがあるならば、ボクらにだって、ボクらひとりひとりにしかできないことがあるはずだ』となれば、この街には、自分の命を自分で縮めるような子はひとりもいなくなるはずです。それを願って、今回の環境学習講座を開きました」

活動の原点

それから1ヵ月後。冬休みが明けたある日、ボクが大学から家へ帰る途中のことだった。向こうから、やはり学校帰りと見られる小学校低学年の男の子5〜6人がやってきた。彼らは、ボクの姿を見つけると、口々に「何だあれ」「気持ち悪い」と叫んだ。このようなことは日常茶飯事。とくに気にも留めずに、その場をやり過ごそうとした、その時だった。

「いいんだよ」

最後尾にいた男の子の発した言葉が不意にボクを襲った。「え?」ボクは振り返り、その子を凝視した。まわりの子も、「コイツは何を言うんだ」という感じで、彼の方を振り返る。その子は、さらに何かを言いたげだったのだが、そこは小学校低学年。後に続く言葉が見つからず、もう一度、呟いた。

「いいんだよ」

　彼はきっと、「あのお兄さんは、ボクらの見慣れない変テコなマシーンに乗っているけれど、そんなことは関係ないんだ。ボクらとなんら変わりのない人なんだ」というような趣旨のことを言ってくれようとしたのだと思う。正直、驚いた。今回のように、子どもたちの好奇の的になり、あれこれと率直な感想を述べられるのは、何もまれなことではない。が、それに対して「いいんだよ」というようなことを言ったのは、彼が初めてでだった。

　これは、きっと先月の環境学習講座を聞きにきてくれた子に違いない、そう思った。もし、そうであるならば、ボクの15分程度の短い話が少しでも彼の胸に届いて、障害者と呼ばれる人々への見方を少しでも変えることができたのなら……。

　10歳にも満たない少年の一言が、ボクの活動の源となっている。

21世紀へ

実行委員長⁉

エコサマが終わって1週間後、ボクは紺色のスーツに身を包み、新宿区役所へと向かっていた。12月に開かれるシンポジウムへの協力を求めるためだ。このシンポジウムの話を聞いたのは、数ヵ月前のこと。「早稲田いのちのまちづくり実行委員会」のメンバーのひとりである、勝又さんから電話をもらってからだった。

彼は、自身も車椅子に乗る障害者。障害者の旅行を提供する「トラベル・ネット」という会社の社長も務めるスーパーマンだ。以前から面識はあったが、わざわざ自宅まで電話がかかってきたのには驚いた。話の概要は、こうだった。

3年前の'94年2月、「誰でも、自由に、どこへでも」をテーマに、「もっと優しい旅への

シンポジウム」が開かれた。障害者・高齢者の「旅」を焦点としたシンポジウムは、日本では初めてだったという。観光産業界を中心に３００名を超える参加者が集まり、貴重な意見交換がなされた。

それから、３年。その間に、社会的関心の高まりや諸制度、交通システムの改善など、さまざまな進歩が見られた。それら社会環境の変化を踏まえ、かつ、21世紀へ向けての課題を再確認しながら、12月に２度目のシンポジウムを開催する予定だという。勝又さんは、前回のシンポジウムでも中心メンバーとして活躍しており、今回の企画にも携わっているということだった。

勝又「ここまでの流れ、理解してくれたかな」

乙武「はい。スゴイことですね」

勝又「そうかい。じゃあ、君にも実行委員として、このシンポジウムに参加してもらえるかな」

乙武「え、ボクがですか？　何も力になれるようなことはないと思いますが……」

勝又「いやいや、そんなことはないよ」

乙武「そうですか……。では、ボク自身にとっても、すごくいい勉強になりそうなので、やっぱり一緒にやらせてもらいます」

電話口でのやりとりは続く。

勝又「よかった。それならば、あらためて君にお願いをしたい」

乙武「何をですか？」

勝又「君に、今回のシンポジウムの実行委員長になってもらいたいんだ」

乙武「じっ、実行委員長!?」

あまりに大きすぎる話だった。勝又さんを始め、前回のシンポジウムを苦労して創り上げてきた方々がいる。今回も、その方々が中心となるのだ。そこへもってきて、前回のことを何も知らない20歳そこそこの男が実行委員長というのは、どう考えても、おこがましい。何度も、何度も、断った。

「しかし」と、勝又さんは続ける。

「今回のシンポジウムのテーマは、『2001年への挑戦』なんだ。内容も、21世紀をにらんだものにしていきたい。だからこそ、シンポジウムの顔である実行委員長には、君のような若い力が、21世紀へつながる人材が欲しいんだ」

この「21世紀」という言葉が、ボクの心を動かした。そうだ、ボクは21世紀の社会を変えていきたいと思っているんだ。バリアフリーの社会を創っていきたいんだ。

こうして、頼りない実行委員長が誕生した。

のしかかる重圧

2回目となる今回のシンポジウムは「バリアフリーからユニバーサルデザインへ199
7」と名付けられた。この「ユニバーサルデザイン」という語を知ったのも、この時が初
めてだ。これは、バリアフリーをさらに一歩進めた概念で、バリアが存在するからバリア
フリーにしなければならないという基本的な考え方に基づいている。障害の有無を問わ
ず、すべての人々が利用できる空間を創り出そうというのだ。特殊な設備で障害を持っ
た人に対応するのではなく、誰もが利用しやすい普遍的なデザインを心がければ、障害
者・高齢者も仲間から隔離され、疎外感を感じるということがなくなる、というわけだ。

この「ユニバーサルデザイン」という語から始まって、何から何までが勉強だった。何
しろ、自分が障害者だという意識を持ち始めたのが半年前。障害者・高齢者が置かれて
いる現状を知るほどに、「車椅子って、意外にたいへんなんだな」と驚かされた。
だが、シンポジウムの準備で得たものは、知識だけではなかった。多くの人との出会
い。これが、ボクにとっては何よりの財産だが、今回のシンポジウムでも、その財産を築
くことができた。篠塚さんとの出会いも、そのひとつだ。

シンポジウムでは、SPIという会社が、事務局というたいへんな仕事を担当してくれ

た。もともとは、添乗員の派遣などをする人材派遣会社だったが、それが発展していく

うち、障害者や高齢者の旅も扱うようになっていったという。そのSPIの社長が篠塚

さんだ。

社長というと、どうしても年配の方を想像してしまいがちだが、彼はまだ30代の若さ。

見た目もハンサムでカッコよく、「頭の切れそうな人だな」というのが第一印象だった。

ミーティングを重ねていくうちに、すっかり打ち解けることができ、飲みに行くようにも

なった。一緒にぶどう狩りへ行くなど、ご家族ともなかよくなる。次第に信頼が生まれ、

ボクは図々しくも「頼れる兄貴分」として彼を慕っていた。

仕事に取り組む真摯な姿勢。家族を大切にする温かさ。彼から学んだものは、数限りな

い。篠塚さんを始めとした、多くの出会い。これだけでも、実行委員長というチャンスを

与えてもらったことに感謝しなければならないだろう。天が与えたものは、もうひとつあ

った。

知識、経験、出会い。これだけで十分であったのに、

った。それは、重圧。

いちばんの悩みの種は、お金だった。頼りにしていた企業からの協賛金が、なかなか

集まらない。景気が悪いと言われているなか、こういったイベントにお金を出す企業は少

なかった。ボクも篠塚さんとともに企業まわりをしたが、状況は厳しかった。のほほん

と学生をしていたら、あまり感じることもなかったのだろうが、この時、はっきりと痛感させられた。「ああ、不況なんだ」と。

また、後援名義をもらうために、霞が関や永田町へも通った。運輸省、厚生省、労働省、建設省、文部省、総務庁、総理府。これだけを一気に「はしご」する学生など、そう多くはいないだろう。だが、楽しんでいる余裕などなかった。ガチガチに緊張して、ただ篠塚さんの後をくっついていくだけ。情けないといえば情けないのだが、21歳の若造には、そこまでが精一杯だった。

いくらイベント好きの乙武とは言え、中学校の文化祭や、高校の映画撮影とはモノが違う。総予算は、400万円近く。会場も、早稲田大学国際会議場という、550名収容可能の大ホールだ。2000円という、決して安くはない参加費を徴収することにも、重い責任がのしかかっていた。

旅は、いつの時代も、夢や感動を与えてくれる。自然とふれあう機会や、新たな出会いも与えてくれる。我々は、お金と時間さえ都合が付けば、いくらでも旅を楽しめる。しかし、いくらお金と時間を持っていても、自由に旅することが許されない人々がいる。それが、障害者や高齢者だ。

体の自由が利かない人々でも、自由に旅を楽しめるようにするためには、現在、どのよ

終わったんだね……

12月14日。「バリアフリーからユニバーサルデザインへ1997」は開催された。

幕開けの基調講演には、『金曜日の妻たちへ』『男女7人夏（秋）物語』などで知られる脚本家の鎌田敏夫氏を迎えた。福祉の分野とはあまり関わりのない鎌田氏だが、それでもあえて呼ぼうとしたのは、他ならぬボクだった。ボクは、従来の「いかにも福祉」というような自己満足で終わるようなイベントだけにはしたくなかった。そのためには、今まで福祉の分野に携わっていなかった人々の注意を喚起するような方をお呼びする必要があると思ったのだ。そこで、ボクら若い世代にアピールする力を持っている鎌田氏をお招きすることにした。

「いやあ、ボク、無口だから」と本番前は謙遜していたが、対談相手のボクを相手にお話

うな問題点があるのだろうか。そして、その問題点を解決していくためには、どのような方法があるのだろうか。そのあたりを考えていくのが、今回のシンポジウムだ。何より「社会に対して、どれだけのインパクトを与えることができるのか」ということを常に念頭に置きながら準備にあたらなければならない。それだけ重大なイベントの実行委員長を務めているのだと考えただけで、胸が締め付けられるほどに苦しかった。

しくださった。「ボクは登場人物になりきって話を書くので、障害者の気持ちを完全には理解できていないボクには、まだ障害者の話を書くことはできない」といった話などは、聴衆に「もっと聞きたい」と思わせるものだった。

鎌田氏の講演と並ぶビッグ・イベントが、『想い出の渚』のヒット曲で知られるワイルドワンズの鳥塚しげき氏と、そのご家族による「手話コンサート」だった。鳥塚ファミリーは、各地でこのような「バリアフリー・コンサート」を開いたり、日本初の「手話ミュージックビデオ」を制作するなど、精力的な活動を行っている。手話の分かる人も分からない人も、一緒になって「歌う」ことができた。「こんなに感動を覚えたことは、久しくない」などの感想が聞かれるほど、会場をひとつにしてくれた素晴らしいコンサートだった。

この盛り上がりと一体感を受けて、午後からは分科会に分かれてのフォーラムが行われた。交通環境・制度政策・情報・サービスの4つの分科会では、参加者が各地での取り組みに新たな発見をし、それをもとに真剣な議論がなされた。後日、講師のひとりだった善光寺（長野県）の住職の取り組みが朝日新聞で取り上げられるなど、その反響は大きく、たいへん意義のあるフォーラムとなった。

1日がかりで行われたシンポジウムも、いよいよクライマックス。実行委員長であるボ

クが、閉会の辞を述べるために、電動車椅子を滑らすようにして壇上へと進み出た。

「…………」

　言葉が、出てこない。こんなことは初めてだった。何かを話そうとしても、いっぱいに詰まった胸が、それを許さなかった。用意していた内容ではなく、その時に頭に浮かんだ言葉を、ひとつひとつ、かみしめるように話し、舞台の袖へ引き下がった。最後まで情けない実行委員長だ。すべてが、終わった。

　会場の後片付けだろうか。舞台の袖には、誰もいない。ひとり、大きく息を吐いた。

「ガチャ」とドアが開き、誰かが入ってくる。事務局長・篠塚さんだ。

「お疲れさん」

　いつもの笑顔に、緊張の糸がプツリと切れた。ボクも、笑顔で「お疲れ様でした」と応えるべきだったのだろう。しかし、代わりに返事をしたのは涙だった。

「終わった……。終わったんだね、篠塚さん」

「ああ、頑張った。本当によく頑張ったね」

　子どものように、いつまでも泣きじゃくっていた。

　今回のシンポジウムを通して、ボク自身、さまざまな勉強をすることができた。そして、多くの方々と出会うことができた。あらゆるところで、あらゆる人々が独自の取り組

みをしていることに驚き、刺激を受けた。しかし、同時にもったいなくも思った。これだ

け多くの人々が情熱を燃やし、注ぎ込んでいるパワーが無駄になってはいないだろうか。これだ

各自がバラバラに動いていることで、その効果が半減してしまってはいないだろうか。

社会の流れは、確実に変わってきている。今こそ、手を取り合って動く時だ。我々が、

よりアンテナを高くし、各地におけるさまざまな取り組みを学び、情報の共有化を図れ

ば、確実に世の中を変えていける。そう感じ取れるほど、情熱と意志を持っている多く

の方々と出会えた。

そして、その一員としてボクも貢献していきたい。「真に自由な」21世紀へ向けて。

アメリカ旅行記

霧と坂の街・サンフランシスコ

'98年2月は、忘れられない冬となりそうだ。親元を離れ、3週間にもわたる海外旅行に出かけたのだ。場所はアメリカ西海岸。メンバーは、予備校時代の友人を中心とした5人だ。彼らと国内旅行に行ったことはあったが、海外はもちろん初めて。しかも、日本で旅行する時には手押しの車椅子を使っているくせに、今回は電動車椅子でチャレンジという「暴挙」に出たから、さぁたいへん！ さてさて、どんな旅になることやら……。

まずは、サンフランシスコ空港でのすったもんだを書かないわけにはいかない。通常、飛行機に乗る場合はスーツケースなどの荷物を預けるわけだが、ボクの場合は電動車椅子も荷物として預けなければならない。これがやっかいだった。車椅子を動かしている電動車椅子のバッテリーが危険物扱いにされ、配線をすべて外されるのだ。外すのに手間取り、搭乗に

ひどく時間がかかったのだが、極めつきは到着時。

配線の戻し方が分からないという。何てこった！結局、連絡がうまくいっていなかったのか、

になり、税関へたどり着く頃には、クタクタになっていた。配線まで自分たちでする羽目

しかし、空港から一歩足を踏み出せば、そこは別世界。「空が青い」というのが、最初

の印象だった。「世界でいちばん美しい橋」と形容されるゴールデンゲート・ブリッジ

や、アル・カポネが収容されていた刑務所として有名なアルカトラズ島をフェリーで回

るツアーに参加したのだが、これが最高。空はきれいだし、風も心地よい。船尾ではた

く星条旗に、「アメリカに来たんだなぁ」という気分にさせられた。

こうして2〜3日、景色や街並み、ショッピングを楽しんだ後、全米で最も車椅子で生

活しやすい街と言われるバークレーへ。この地にあるUCバークレー（カリフォルニア大

学バークレー校）にも、車椅子の学生が多く在籍していると聞いていたので、みんなに頼

んで予定に組み込んでもらっていたのだ。

この日は、「Campus Festa '98」という学園祭のような催しが開かれていて、キャ

ンパス内は多くの人で賑わっていた。あちらこちらで趣向を凝らしたアトラクションが展

開され、ただ歩いているだけでワクワクする。黒人や白人の学生だけでなく、あまりにア

ジア系学生が多いことにも驚いたが、何より驚いたのは、その車椅子の数。たった数時間

いただけで、十数台は見ただろう。

しかし、何かがおかしい……人込みに揉まれながら、そう感じていた。分かった、誰もボクを見ていないんだ。日本で車椅子に乗った人間が人込みのなかに飛び込んでいけば、程度の差こそあれ、人からジロジロと見られるものだ。しかし、こちらでは車椅子に乗っているというだけでは注目に値しない。それだけ車椅子、そして障害者の存在が日常化しているのだろう。

そういえば、バークレーだけでなくアメリカに来てから、通りですれ違う人と目が合う回数が圧倒的に少ない気がする。目立ちたがり屋のボクとしては、いささか不満ではあるけれど、これがあるべき姿なのだと感じた。自分の障害を苦に思っている方には、ぜひとも訪れてほしい地だ。「身体障害＝身体的特徴」ということを、身をもって実感できるはずだ。

翌日、誕生日を迎えたメンバーのバースデー記念ということで、みんなでオペラを観に行った。あの有名な『オペラ座の怪人』だ。5人とも日本でオペラなど行ったことがなく、全員が初めての体験となったわけだが、行ってみて大恥をかくことになった。観客のほとんどが見事にドレスアップしてきているのだ。タキシードに身を包んだ5～6歳の少年の隣に、セーター姿のボク……なんとも情けない姿だっただろう。

当然、ボクは車椅子席に案内されたのだが、驚いたのは料金システムだ。日本では、どんなに高いお金を払ってよい席を予約しても、結局は隅の方にある車椅子席へ回され、コンサートやスポーツ観戦でも同じだ。これはオペラに限ったことではなく、コンサートやスポーツ観戦でも同じだ。これはアメリカでは最初から「車椅子席」として料金が設定されている。これならトラブルが起こる心配がない。

そのようにして設けられた車椅子席には、ボクの他にも2～3人の車椅子利用者が観劇していたが、他の観客に少しも見劣りしないほど着飾っている。右隣のご夫人は、紫のドレスに、「これでもか！」と言わんばかりのヒカリモノ。さすがに啞然としたが、日本の障害者も彼らを見習って、もっとオシャレを楽しまなきゃね。

砂漠の不夜城・ラスベガス

サンフランシスコに5日間ほど滞在した後、今度はラスベガスへ。サンフランシスコが自然の美しさを持つ街なら、ラスベガスは人工の美を誇る街だ。ホテルひとつひとつがというより、街全体が遊園地。ピラミッドの隣にヨーロッパ中世のお城、その隣には自由の女神が。さらに進むと、今度は海賊が暴れている。そして、その脇では火山が大噴火！　どんなにきれいな夕焼けを見せられても、「どこかのホテルの作り物じ

やないの？」と疑ってしまうほどだ。

このようにラスベガスには超豪華ホテルが集結しているわけだが、意外なことに豪華ホテルと車椅子の相性が非常に悪い。その相性の悪さの犯人は絨毯だった。高級なホテルは、どこもフカフカの絨毯を敷き詰めてあるので、車椅子では走りにくいのだ。すぐにタイヤをとられ、砂浜を走っている時と似た感覚を覚えた。

やっぱり、ラスベガスといえばカジノ。というわけで、ボクたちはビンゴの会場へと向かった。大画面いっぱいに映し出されるナンバーを確認するたびに、手に汗を握る。え、握る手がないって？　まぁ、細かいことは……。常にドキドキハラハラのこのゲームは、外してもあまりガッカリすることなく、アトラクションにお金を払ったような感覚だ。

注目すべきは、その年齢層だ。ボクたち以外は、ほとんどが高齢者と呼ばれる人々だったが、妙に納得してしまった。時間とお金のある高齢者にとって、体力をそう使わずに楽しめるギャンブルは、うってつけの娯楽なのだ。高齢社会を目前に控えている日本でも、カジノの導入は近いかも!?

ラスベガスから少し足を伸ばせば、グランド・キャニオンなどの国立公園がゴロゴロしている。ボクたちは、これを車で回るためにレンタカーを予約した……が、なんとリフト付きレンタカーがない。何社も電話で調べたのだが、1台も見つからないのだ。障害者

の国（？）アメリカで、こんなことがあっていいのかと不思議に思っていたのだが、どうやらアメリカでは、障害を持つアクティブな人は、自分でリフト付きの車を持っているらしいのだ。うーん、納得したような、しないような……。結局、車椅子が積めるサイズのワゴンを借り、後部座席を取り外して車椅子を積み込むことになった。

この国立公園めぐりでは、日本では味わうことのできないような自然の偉大さ、厳しさに触れた。西半球で最も暑く、最も海抜が低いと言われるデス・ヴァレー。たしかに、冬にもかかわらず陽射しがジリジリと痛い。夏には軽く50度を上回るというから、まさに「死の谷」だ。一転して、ブライス・キャニオンは耳がちぎれるほどの寒さ。車のなかに置き忘れた飲み物は凍っていた。長年にわたる河川や風雨の浸食によって生まれた尖峰群は「自然の彫刻」と言うにふさわしい。レイク・パウエルでのサンライズに、空が桃色に染まっていったのが忘れられない。

西海岸最大の都市・ロサンゼルス

ロサンゼルスと聞いて浮かぶイメージは、人によってさまざまかもしれない。映画の都ハリウッド、豪邸の立ち並ぶビバリーヒルズ、美しいビーチのサンタモニカなど、見所はたくさんあるけれど、ボクが最も楽しみにしていたのはユニバーサルスタジオだ。日本で

もおなじみの、有名な映画に出てくるセットを見学できたり、時には本物の撮影が行われていたりと、映画ファンならずともワクワクするようなテーマパークなのだ。まずは園内をぐるっと回っているバスに乗るのだが、とにかくその広さに圧倒される。ボクの住む新宿区より広いのでは？　と思わせるほどだ。

その広い園内では、『E. T.』や『バック・トゥ・ザ・フューチャー』の世界を体験できるアトラクションや、壮絶なスタントショーなどが展開されている。どこから見て回るか、迷ってしまうくらいだ。目の前で大火災が起こったり、キングコングに襲われたりと、スリル満点のアトラクションに度肝を抜かれるばかりだったが、とくに圧巻だったのは『ジュラシック・パーク』をテーマとした『ザ・ライド』。数々の恐竜に出会えたと思ったら、最後は乗り物ごと滝つぼへ真っ逆さま。

車椅子への対応も完璧だ。日本で車椅子に乗っていると、あまり遊園地などへ行こうという気にならないし、行っても疲れるだけということが多いのだが、この日は別。さまざまなライブ・ショーの最前列には、きちんと車椅子席が設けられているし、アトラクションでは乗り物の真横まで車椅子で行くことができる。車椅子用トイレもあたりまえのように設置してあり、園内のどこを探しても、段差の「だ」の字も見つからない。障害者への配慮が「娯楽」という部分にまで、しっかりと行き届いているアメリカ。さすがだな

ここには書ききれないほどの経験を積んだ3週間の旅。何物にも代えがたい3週間だ。

「楽しかった」の一言では語り尽くせない「楽しさ」があった。両親は、自分たちが一切手を貸さずにひとりで海外へ行ってきたことに驚き感心すると同時に、うれしさもあったようだ。

今回の旅についてまわりからは、「勇気があるね」などと言われたが、本当に勇気があったのは友達の方だろう。まだ学生という身分で3週間も海外に滞在するのは、ただでさえ不安な部分があるはずだ。しかし、彼らはあえて「悩みの種」を抱えていった。

車椅子でのトラブルや持ち前のワガママさで、みんなには迷惑をかけたけれど、すばらしい旅だったよ。本当にありがとう。また、どこかへ行こう！

あ。

大雪の日に

困った時は

電動車椅子の運転をして、20年近くが経つ。それだけ長い間、車椅子に乗っていれば、いろいろな事件が起こる。ここで、いくつか紹介したい。

予備校時代のことだ。前にも書いたとおり、ボクの通っていた予備校は、新宿区・大久保にあった。大久保といえば、多国籍の街。自習室で勉強して帰りが遅くなると、街の様子は一変する。日本語が聞こえてこなくなり、代わりにアジア系男性のケンカのように聞こえる会話が耳に飛び込んでくる。その一方、片言の日本語で、男性を甘い誘惑に陥れる人々がいる。外国人女性たちだ。出身地は、アジア、南米などさまざまらしい。そして、彼女たちは、ある時間帯を過ぎると通りにたむろし始めるのだ。

ある冬の日のことだった。小雨の降りしきるなか、ボクは自習室での勉強を終え、家に

向かっていた。傘を差すのは面倒くさいので、雨に濡れたまま車椅子を走らせる。しかし、その途中、寒くて仕方がなくなり、あたたかいコーヒーでも飲もうかと、自動販売機の前に車椅子を停めた。しかし、その後のことまで考えていなかった。ボクひとりでは、財布からお金を出すことも、商品を取り出すこともできないのだ。さて、困った。

そこへ、熱心に仕事（男性に声を掛ける）に励んでいた外国人女性のひとりが、ボクに近付いてきた。

「◇※☆¥◎▽※＆＃△」

話しかけられたのだが、何を言っているのだか分からない。どうやら英語ではないようだ。ボクは、試しに「とても寒いので、このコーヒーが飲みたい」旨を英語で伝えてみたが、やはり通じないようだった。

しかし、彼女はボクの視線と、止まらない震えによって意図を理解してくれた。おもむろにジーンズのポケットから小銭を取り出すと、「どれが飲みたいの？」といったふうに自動販売機を指差した。ボクは、「ノー、ノー！」と首を横に振った。お金は自分で持っているので、何も彼女のお金で買ってもらうつもりはなかったのだ。彼女は、怪訝な顔をして、こちらを見つめている。

しかし、英語の分からない彼女に、「ボクのズボンのポケットからお財布を出して、代

わりに買ってくれ」と伝えることは不可能だ。この場は仕方なく、ご馳走になることにした。

「ゴロゴロ、ガッシャン」

勢いのいい音を立て、待ちに待ったコーヒーが落ちてきた。

「プシッ」

彼女はプルタブを引き抜き、ボクに渡してくれた。気配りのできる、親切な女性だ。何か話さなければ、とも思ったが、お互いの分かる言語がない。ふたりは、無言のままコーヒーを飲み続けた。だが、彼女は、その間も絶えず笑顔のままだった。「ロン毛」の車椅子と外国人女性。不思議なふたりだっただろう。

その後も、予備校からの帰りが遅くなると、何度か彼女と遭遇した。会うたびに、彼女は日本語が上手になっており、自分はミレーナだと名乗った。また、何度目かに会ったある日、10ケタの数字が乱雑に書かれている紙切れを渡された。そして、自分の携帯電話を取り出し、盛んに指差している。どうやら、いつでも電話しろということらしい。だが、ほどなくして、彼女の姿を見かけることはなくなった。

大久保の外国人女性との接点は、ミレーナだけではなかった。ある日、予備校へ向かう途中、アジア系の女性に呼び止められた。何だろうと思って振り返ると、彼女は自分のバ

ッグを漁っている。そして、そのなかから数千円を取り出すと、ボクに差し出すではない

か。ボクは、「ノー、ノー！」と首を横に振ったが、彼女はボクのポケットにお札をねじ

込むと、そのまま走っていってしまった。あっという間の出来事だった。

このような形で日本に働きに来ている外国人女性の多くは、自国に病気や障害を持っ

た子を抱えているケースが少なくなく、その子の治療費を稼ぐために日本へやって来てい

ると聞いたことがある。そのため、ボクのような障害者を見ると放っておけないのかも

しれない。

もうひとつ、別の話を。高田馬場駅で、友達と待ち合わせをしていた。すると、隣に見

た目のコワイ、パンチパーマにサングラスのオジサンが立っていた。彼も人を待っている

のだろうか、かれこれ5分以上は経った。ボクの友人もなかなか来ない。そうこうしてい

るうちに、そのオジサンが話しかけてきた。

「おう、兄ちゃん」

「は、はい。何でしょう」

からまれるのかと思い、鼓動が速まる。

「おめえも、たいへんだな」

「へ？」

予期せぬ言葉に、力が抜けた。そして、「事故か?」などと、ボクの身体のことを聞い

てきた。「生まれつきなんです」と答えると、「うーん、そうか」と驚きとも同情ともつ

かない声で唸った。それから、彼の仕事の話などをしてくれた。

とても興味深い内容で、しばらく話し込んでいるうちに、すっかりオジサンに対する恐

怖は消え去っていた。それにしても、ボクの友人が来ない。もう15分の遅刻だ。オジサン

も、心配してくれた。

「友達、来ねぇな」

「そうですねぇ」

「兄ちゃんを待たすなんて、太ぇ野郎だな」

友人が来て、いきなり、このオジサンに締め上げられたのでは、たまらないと思い、

「いや、ボクが早く来すぎたんです」と、慌てて弁解した。

しばらくすると、「じゃあ、兄ちゃん。悪いが、俺は行かなくちゃいけない」と言って、

内ポケットに手を突っ込んだ。「え、何が出てくるんだ?」と冷や汗をかいたが、彼がポ

ケットから取り出したのは名刺だった。

「困ったことがあったら、いつでも電話してこい」

そう言うと、名刺をボクのポケットに突っ込み、彼はそのまま行ってしまった。

「仁義」を大切にする彼らは、ボクのような人間に対して、情が厚いのかもしれない。

実は、この話には続きがある。家に帰って、このことを両親に報告した。驚くかと思い

きや、母は平然として「あなた、それはあたりまえよ」と言ってのける。

「え、どうして?」

「だって、ああいう方たちは、ツメるといっても小指一本程度でしょう。あなたなんか、

全身ツメちゃってるんだもん。それは、敬意を表されるわ」

ボクと父は、顔を見合わせるしかなかった。

カッコイイ障害者

「障害者って、かわいそう」という固定観念が、まだまだあるように思う。大久保の外

国人女性も、高田馬場の怖いオジサンも、きっとボクのことを「かわいそう」と感じて、

親切にしてくれたのだろう。もちろん「かわいそうな障害者」が存在しないとは言わな

い。なかには、性格が悪く、誰にも相手にされないような障害者もいるだろう。そんな

彼らは、たしかに「かわいそう」だが、それは障害から来るものではない。その人が、

たまたま障害者であったというだけで、人間の中身の問題だ。

では、外見はまったく関係ないかというと、それも違うように思う。アメリカへ行って

痛感したのは、アメリカの障害者はオシャレだということだ。街のなかで車椅子を走らせる老紳士はダンディだったし、オペラで隣の席になった車椅子の女性も、きれいなドレスで着飾っていた。とにかく、カッコイイ。そして、ボクは感じた。彼らのような「カッコイイ」障害者を見て、他の人々は果たして、「ああ、かわいそうに」と思うのかな。

転じて、日本に目を向けたい。オシャレを楽しんでいる障害者は、ごくわずか。外に出て、人目にさらされる機会が少ないからかもしれないが、アメリカとの差は歴然としている。利便性を考えてか、ジャージなどをふだん着として着用している障害者も、まだ多いようだ。

キレイに着飾っているオシャレな障害者と、ふだんからジャージで過ごしている障害者。同じような障害を持ち、同程度の生活をしていたとしても、一般の目に「かわいそう」と映るのは、どちらだろう。答えは明白だ。

本人がよければ、それでいいではないかという意見も、たしかにあるだろう。しかし、世間に対する障害者のイメージを変えるためにも、そして自分自身の生活を張りのあるものにするためにも、「もっともっと、オシャレを楽しもうよ」と言いたい。

ボクは、子どもの頃から洋服にはうるさかった。自分の誕生日や遠足など、何か行事がある時には、必ずいちばんのお気に入りを着ていかなければ気がすまなかった。万が

一、母に「洗濯が間に合わない」などと言われれば、すぐにふくれっ面をしてスネてしまうような子だった。

中学校では制服。用賀中学校は、詰め襟の学ランではなくブレザーだったため、さしたる改造もできなかったのだが、オシャレのポイントがないわけではなかった。それはネクタイ。ネクタイのなかには、形を整えるため綿でできている芯が入っているのだが、これを取り除いてしまう。すると、ネクタイを結んだ時にできる結び目がキュッと細くなり、不良っぽくなるのだ。大人たちは、「かえって、カッコ悪い」と思うだろうが、当時は流行っていた。ボクも、ヤッちゃんの真似をして芯を抜き、よく先生に怒られていた。

そして、その傾向は今でも変わっていない。「趣味は?」と聞かれて、趣味らしい趣味のないボクは、とりあえず「散歩とショッピング」と答える。それほどに、洋服が好きだ。ボクの好きなお店に、マーガレット・ハウエルがある。新宿や渋谷のデパートにも店舗が入っているのだが、ボクのイチオシは渋谷区・神宮前にあるマーガレット・ハウエル青山店。ここは、インポートの1点ものが入ってくるというだけでなく、店内も広々としていて段差がなく、車椅子でもゆったりと買い物ができるのだ。もちろん、店員さんも親切だ。

しかし、困ったことがひとつある。これは、マーガレット・ハウエルに限ってのことで

はないのだが、年に2回開かれるセールの時期が、ちょうど前期・後期のテスト期間と重なるのだ。ボクが、どっちを優先させるか……。もちろん、言うまでもない。

1月15日。世間は成人式一色。昨年、成人式を迎えたボクには関係なく、今日から始まるマーガレット・ハウェルのセールのことで頭がいっぱいだった。しかし、窓の外は雪模様。ニュースでは、関東でまたとない大雪だと騒いでいる。

たしかに、迷った。一時は、諦めようかとも思ったが、やはり「1年に2回」という誘惑には勝てなかった。さすがの母も呆れている。ここまで息子がバカだと、母親としてもかわいそうだ。電動車椅子vs.雪。結果は完敗だった。前輪が雪に埋もれ、身動きが取れなくなる。なんとか、最寄りのバス停までたどり着き、ホッと一安心。バスの運転手さんと乗客がギョッとして、ボクが乗り込むのを見ていると感じたのは気のせいだろうか。

ようやく、店に着いた。やはり、予定より30分ほど遅れてしまった。すでにセールは始まっていて、店内は先客でごった返していた。「遅れたか……」と慌てて参戦するボクに、なじみの店員さんは「まさか、この天候のなか、乙武さんがいらっしゃるとは思いませんでしたよ」と呆気にとられていた。

アメリカ旅行に重宝しそうなセーターと、以前から目を付けていたブルーのシャツをGETし、意気揚々と店を後にしたボクに、また雪との闘いが待っていた。今度は、どう

あがいても動かない。完全にタイヤがとられてしまっている。厳しい寒さのなか、立ち（座り？）往生していると、そこへ若いサラリーマン風の男性が通りかかった。

「どうしたの？　雪で動けなくなっちゃったの？」

「そうなんですよ。前輪が滑って、少しも動かないんです」

「そうか、ちょっと待ってろ」と言うと、彼は、持っていたカバンを上着と共にボクに渡し、車椅子の後ろへ回った。そして、彼自身が滑ってしまわないように気を付けながら、一生懸命押してくれた。

雪が、ほとんど溶けている大通りまで押してくれると、「ここで大丈夫かな？」と息を弾ませながら聞いてくれた。

「はい、本当に助かりました。ありがとうございました」

「こんな大雪のなかを車椅子で出歩くなんて、よっぽど大切な用事でもあったんだろうけど、あんまり無理しちゃダメだよ」

穴があったら、入りたかった。

父のこと、母のこと

命名「洋匡」

乙武家では、両親のことを、「お父さん、お母さん」ではなく、「父、母」と呼ぶ。ここで、ボクをこれまで育ててきた父と母のことを紹介したい。

父は33歳の時に結婚した。ボクは、35歳の時の子どもだ。それだけに、落ち着きがあり、威厳のある父親かというと、決してそんなことはない。ボク以上に子どもっぽい部分を多分に持ち合わせている。

大好きな巨人が負けていると、とたんにムスッとなる。食後のデザートで、数が半端なものが出されると、必ずボクと張り合おうとする。TVを見ながら、知りもしないアイドルの歌を、必死に口ずさもうとする。

本人は、「兄弟のいないオマエがワガママ放題に育たないよう、配慮してるんじゃない

か。父と兄の二役をこなすなんて、俺はなんて、いい親なんだろう」と言っているが、と

ても演技には見えない。

だが、こうした父の態度は、ボクらの父子関係では、大きくプラスに働いている。

「父親は絶対的な存在」という堅苦しい雰囲気はなく、どちらかといえば、友達のような

感覚に近いだろう。休みの日に、ふたりで連れ立って出かけたり、夕方頃に父の会社で待

ち合わせ、一緒に夕食を食べて家に帰るようなこともある。おちゃめで楽しい父親だ。

父は、建築家だ。職業柄かどうかは分からないが、「カッコイイ」ものへのこだわりに

は相当なものがある。現在、ボクらが住んでいる家も父が設計したものだが、遊びにきて

くれる友人のほとんどが、「ステキな家だね」と誉めてくれる。

デザインだけでなく、彼自身、カッコよくあることを追求する。「（勤務地である）西新

宿のファッションリーダー」を自称しているだけあって、オシャレにもうるさい。やはり

子どもにとって、父親がいつまでもカッコつけていてくれるのは、うれしいことだ。ボク

自身、年を取ってもイイ男でありたいと思っているのは、多分に父の影響があるだろう。

『洋匡』という名前をつけてくれたのも父だ。「太平洋のような広い心で、世のなかを匡

す（正す）」という意味がある。さらに、「国」という字は囲いのなかに王がいるが、「匡」

という字は一辺が開いている。それは、自由に移動でき、行動力のある王を表すという意

味もあるそうだ。

ふだんは、あまり細かいことに気を使わない父だが、この時ばかりは、辞典などで画数の善し悪しを調べてくれた。それによると、『洋匡』という名は、多くの人々の愛情に恵まれる画数らしい。

「太平洋のような広い心で、世のなかを匡す（正す）」という、たいそうな名前に恥じない人間に成長したかどうかは自信がないが、確かに、多くの人々の愛情に恵まれて、ここまで育ってきた。ボクは、この名前を誇りに思う。

今だ、香港（ホンコン）へ！

母のことを書くにあたって、やはり小学校時代に付き添いとして廊下にずっと待機してくれていたことを欠かすわけにはいかない。

高木先生は、「普通、障害者の親というのは学校に対して、『ああしろ、こうしろ』と要求ばかりをしてしまいがちだが、乙武のお母さんは決してそんなことをせず、すべてを私に任せてくれていたので、非常にやりやすかった」と話している。

電動車椅子の使用禁止に踏み切る時にも、事前に母に相談していたようだ。しかし、そのような時でも、「学校では、すべて先生にお任せします」と、先生の教育方針に一切

の口出しをしなかったようだ。

また、先生に対してだけでなく、ボクに対しても必要以上の干渉は決してしなかった。

入学当初、まわりの子が「どうして手足がないの？」と聞きにきたり、不思議がってボクの手を触りにきたり、洋服のなかに自分の手足をしまいこんでボクの真似をするような子がでてきた。そのたびに、先生はヒヤヒヤしていたというが、一方の母は、「本人が解決すべき問題」と涼しい顔をしていた。先生は、目の前で我が子が「さらし者」になっているにもかかわらず、これだけ平然としていられる母に驚くと同時に、親子の絆、信頼関係を感じたという。

その母の態度が、信頼関係によるものだったかどうかは分からないが、たしかに、干渉されるようなことは、ほとんどなかった。中学1年の夏、こんなことがあった。

「ねぇ、この夏、友達と青森に旅行に行きたいのだけれど……」

ボクの方から、こんなことを言い出したのは初めてだった。「友達同士でなんか、危ないからダメ」「私たちも付いていかなくて大丈夫？」そう言って、反対されることを予想していたボクは、母の答えに面食らってしまった。

「あら、そうなの？　何日から何日まで家を空けるのか、早めに教えてちょうだいね」

「へ……？　いいけど、どうして？」

「それが分かったら、その間に、私たち（夫婦）も旅行に行けるじゃない」

そして、8月。青森へ向かうボクらを見送った直後、彼らは香港へと旅立っていった。

ここまで来ると、この「いい加減さ」が、かえってよかったのではないかと思う。ボクは逆に、この「いい加減さ」が、かえってよかったのではないかと思う。

障害児の親というのは、子どもに対して過保護になりがちだ。それが乙武家の場合は、息子が旅行に出ているスキを狙って、自分たちも旅行へ行ってしまうという、お気楽さ。

はっきり言って、障害者を障害者とも思っていない。でも、それがよかったのだ。

障害児の親が過保護になる要因としては、「かわいい」という気持ちよりも、「かわいそう」という気持ちの方が強いように思う。親が子どものことを「かわいそう」と思ってしまえば、子どもはそのことを敏感に感じ取るだろう。そして、「自分は、やっぱりかわいそうな人間なんだ」と、後ろ向きの人生を歩みかねない。

障害者は、やっぱりかわいそうなんだ」と、後ろ向きの人生を歩みかねない。

それが、ボクの両親のような人間に育てられると、普通は4〜5歳で気付くところ、20歳を越えるまで自分の障害を自覚できないような、ちょっとオマヌケな子が育つ。そのことによって、ボクは悩み苦しむこともなく、のほほんと育つことができた。

よく、「障害を乗り越えて」だとか「障害を克服して」というような表現がされるけれ

ど、ボク、そしてボクの両親には、そういった表現がまったく当てはまらない。障害を、あまりマイナスに捉えていないのだ。

「障害は個性である」という言葉をよく耳にする。ボクには、なんだか、くすぐったい。健常者には、ただの強がりに聞こえる場合もあるようだ。子どもの頃は「特長」と捉えていたボクの障害だが、今では、単なる身体的特徴にすぎないと考えるようになった。

太っている人、やせている人。背の高い人、低い人。色の黒い人、白い人。そのなかに、手や足の不自由な人がいても、なんの不思議もない。よって、その単なる身体的特徴を理由に、あれこれと思い悩む必要はないのだ。

そうした考えを、その態度で教示してくれた両親。このふたりのもとに生を受けたことを、心から感謝したい。そして、今まで育ててくれて、本当にありがとう。

心のバリアフリー

靴と車椅子

——車椅子の方は、付き添いの方と一緒にご利用ください——

デパートや図書館などの施設にあるエレベーターの横には、こんな注意書きがある場合が多い。しかし、ボクの場合は、電動車椅子を操作してエレベーターに乗り込み、行きたい階のボタンを自分で押して、その階で降りるという一連の動作が、自分ひとりで可能だ。それでも、付き添いと一緒でなければいけないのだろうか。

「車椅子に乗った人が、ひとりで行動するのは危険だ」

「障害者は、社会で守ってあげなければならない弱者である」

注意書きの背景にあるのは、このような考え方ではないだろうか。しかし、ここで根本的な問題をあらためて問い直したい。果たして、障害者は本当に社会から守ってもらわ

259

なければならない弱者なのだろうか。

たいへん残念なことではあるが、たしかに今の日本では、障害を持った人々が街のなかを自由に動き回るのは困難だし、ひとりで生活をすることもむずかしい。そこで、多くの手助けを必要とするのも否めない事実だ。だが、障害者をそのような立場に追い込んでいるのは「環境」なのだ。

ボクは日頃から、「環境さえ整っていれば、ボクのような体の不自由な障害者は、障害者でなくなる」と考えている。例えば、ボクがA地点からB地点まで行きたいとする。ところが駅にはエレベーターも付いてない、バスやタクシーも車椅子のままでは利用できないという状況では、A地点からB地点までの移動が不可能、または困難になる。その時、たしかにボクは「障害者」だ。

しかし、駅にはエレベーターも付いている。ホームと電車の間も隙間や段差がなく、スムーズな乗り入れが可能。バスやタクシーにもリフトが付いていて、車椅子のまま乗り込めるといった時、そこに障害はなくなる。一般的には、家を出掛ける時に玄関で靴を履くが、ボクの場合は、靴の代わりに車椅子に乗る。靴と車椅子の違いがあるだけで、自分の力でA地点からB地点まで移動したということに、なんの違いもない。「障害者」を生み出しているのは、紛れもなく、環境の不備なのだ。

第3部　心のバリアフリー

子どもたちの前でよくこんな話をする。「みんなのなかにも、メガネをかけている人がいるよね。それは、眼が悪いからだね。ボクも、足が不自由だから車椅子に乗っているんだ」と言うと、子どもたちは「じゃあ、一緒だね」と笑う。そこで、「メガネをかけている人って、かわいそう？」という質問をすると誰もうなずかないのに、「じゃあ、車椅子に乗っている人は？」という質問には、ほとんどの子が口を揃えて「かわいそうだ」と言う。

「みんなは、眼が悪いからメガネをかけるのと、足が不自由だから車椅子に乗っているのは同じだと言ったのに、どうして車椅子の人だけ、かわいそうなのかな」と言うと、「眼が悪い人は、メガネをかけることで見えるようになるけど、足が不自由な人は、車椅子に乗ってもできないことがたくさんあるから、やっぱりかわいそうだ」という答えが返ってくる。

子どもたちの意見は、的を射ているように思う。障害者が「かわいそう」に見えてしまうのも、物理的な壁による「できないこと」が多いためだ。かわいそうな人など、多いより少ない方がいいに決まっている。誰もが自由に行動できるような社会。あるべき姿が現実となる日は、まだまだ遠いのだろうか。

「慣れ」がいちばん

障害者を苦しめている物理的な壁を取り除くには、何が必要なのだろうか。ボクは、心の壁を取り除くことが、何より大切だと感じる。乗り物や建物などのハードと呼ばれる部分を創り上げるのは、我々人間だ。その創り手である我々が、どれだけ障害者・高齢者に対しての理解や配慮を持てるかで、ハードのバリアフリー化は、いくらでも進むだろう。

では、障害者に対する理解・配慮はどこから生まれてくるのだろうか。ボクは、「慣れ」という部分に注目している。

駅で障害者が困っている姿を見かけた。しかし、どのように声を掛けたらいいのか分からずに、結局、その場をやり過ごしてしまった。みなさんにも、そんな経験がないだろうか。それは、「慣れ」の問題によるためらいに他ならない。

そして、ここで多くの人は、「ああ、どうして自分は声を掛けなかったんだろう」と自己嫌悪に陥る。だが、ボクはそこで自分を責める必要はないと思う。ふだん、街を歩いて障害者を見かける機会は、まだまだ少ない。ふだん、あまり接していない人々に対して適切な対応をしろと言われてもむずかしいものだ。

これは、障害者に限っての話ではない。例えば、自分の家の隣に外国人が引っ越してきたとする。やはり、最初は驚き、戸惑ってしまうだろう。しかし、数週間が経ち、彼らの文化や生活習慣に対する「謎」が解き明かされていくうちに、「どこどこの国から来た〇〇さん」ではなく、「ご近所のうちのひとりの〇〇さん」と考えられるようになるはずだ。

この例からも分かるように、障害者や外国人といったマイノリティ（少数者）への理解については、「慣れ」という問題が大きな比重を占めていることがよく分かる。しかし、先にも述べたように、街を歩いていて障害者を見かける機会は、まだまだ少ない。そういった人々に慣れるというのは、ほぼ不可能に近いだろう。そこで、鍵を握っているのは、子どもの頃の環境ではないかと思う。

子どもというのは、まだ障害者に対するバリアを持っていない。講演などで、子どもたちの前にボクが登場すると、どよめきが起こった後、シーンと静まり返る。子どもたちは、目をまん丸くして驚いている。しかし、30分ほど話をした後、子どもたちと一緒に給食を食べたり、簡単なゲームをしたりと触れ合っていくうちに「オトくん、オトくん」となついてくれ、帰る頃には「また来てね」などと、うれしいことを言ってくれる。

奇怪な姿に警戒はしたものの、「普通のお兄ちゃんだ」ということが分かり、心の壁を

取り払ってくれたのだ。子どもたちは、そういった意味で、たいへん柔軟だ。「障害者」「健常者」と勝手に線引きをするのは大人であって、子どもたちの世界は言ってみれば「何でもアリ」なのだ。

幼稚園や小学校の時も、そうだった。「どうして、どうして?」と疑問を隠さずに、ぶつけてくる子どもたち。こちらも隠さずに正直に答えてあげれば、彼らにとっては手や足がないことなどは、どうでもいいことであるかのように、なかのよい遊び友達となってくれた。

今でもよく、道を歩いていると、すれ違う子どもに「あの人、手と足がないよ。お母さん、どうして?」と言われる。お母さんは慌ててボクに「ごめんなさい、ごめんなさい」と頭を下げ、「いいから、こっちにいらっしゃい」と子どもを引っ張っていってしまう。

「あ〜あ」、そのたびにボクは残念に思う。またひとり、障害者に対するよき理解者を増やすチャンスを逃してしまったと。子どもは純粋だ。障害者を見れば「どうして?」との疑問を抱くが、その疑問が解消されれば、わけ隔てなく接してくれる。もっともっと、聞いてきてほしい。「どうして?」という疑問をぶつけてきてほしい。その疑問を心に残したままにすることが、障害者に対する「心の壁」となってしまうのだ。そして、その疑問が解かれ、子どもたちのなかに障害者に対する「慣れ」が生じた時、『心のバリアフ

リー』は実現される。

ボクは友達から、こんなことをよく言われる。

「たしかに、最初にオマエを見た時はビックリしたよ。どう接していいのか、何を話したらいいのか分からなかった。でも、クラスメイトとして話をしたり、一緒にメシを食うようになって、いつの間にかオマエが障害者だってことが頭から消えちゃってるんだよ。

それで、『じゃあ、みんなで遠くに遊びにいこうか』となった時に初めて、『あ、そっか。そういえばオマエは障害者だったんだよな。それじゃ、車椅子に乗ったオマエを連れていくには、どうしたらいいんだろ』となるんだよね」

これは、もちろん友達に対して感謝しなければいけないことではあるが、同時にあたりまえのことでもある。障害の状況などに応じて、特別な配慮を要することはあっても、人間同士のつきあい方として、「障害者だから特別に」ということはないのだ。

初めて出会った時に、必要以上の壁を感じてしまうのは仕方がない。しかし、時間が経っても、つまり、「慣れていない」という言い訳が通用しなくなっても、なお、その障害者に壁を感じてしまうようであれば、それは障害者側の責任であると、ボクは思っている。そこで重要なのが、人柄・相性といった問題であるのは、健常者同士のつきあいとなんら、変わりはない。

そして、しばらく接していても、その人とはつきあいづらいと感じたら、「障害者だから」と変な同情を寄せて、無理に付き合う必要はないだろう。その時、その障害者が「差別だ」などと寝言を言ったら、きちんと教えてあげてほしい。「アンタの性格が悪いんだよ」と。

自分らしく

「慣れ」と同時に、障害者に対する心のバリアを取り除くために必要なのは、他人を認める心だと思う。

欧米では、障害者が暮らしやすい社会が築かれていると言うが、それも他人を認める心があるからだろう。さまざまな民族がひとつの国家で生活をしている欧米では、他人と違うといった理由で否定をしていたら、きりがない。そこで、障害者のようなマイノリティに対しても、「多様性」という観点から、障害をその人の「特徴」として受け入れているのだ。

日本は、どうだろうか。欧米とは違い、日本人はほぼ単一民族として生きてきた。すべてが同じであることが原則とされ、そこからはみ出ることを極度に恐れる。そして、はみ出た人間に対して待っているのは、差別や偏見。このような社会では、障害者が受け入れられるのはむずかしいだろう。

今、中学校を中心として起こっている「いじめ」の問題。そのほとんどが、「アイツは、オレたちとここが違うから」といったことが原因であると言われている。もし、子どもたちが他人を認めることのできる心を持ってくれれば、こうしたいじめの大半が解決するだろう。「みんなが違う」のはあたりまえなのだ。

そして、他人を認める心の原点は、自分を大切にすることだ。ボクが、バリアフリーを目指す活動を始めるようになったのは、「ボクには、ボクにしかできないことがある」という想いからだった。しかし、それはボクだけに課せられたものではない。誰にも、「その人にしかできないこと」があるはずなのだ。「自分の役割」に若いうちに気付く人もいれば、年を重ねていくうちに気付く人もいるだろう。なかには、死を迎える時になって、

「ああ、自分の役割とは、あのことだったんだ」と気付く人もいるはずだ。ボクの場合、「障害」という分かりやすい目印だったために、自分の役割に気付いたのが、たまたま早かったのだろう。それに気付く時期は、人によってさまざまなのかもしれない。だが、必ず誰しもが「自分の役割」を持っているのだ。

それもそのはずだ。日本中、いや、世界中を見渡したところで、自分とまったく同じ人間などいるわけがない。たったひとりしかいない人間であれば、その人にしかできないことがあって当然なのだ。そうであるなら、ボクらは、もっと自分自身を大切にしなければ

ならない。

今の子どもたちは、すぐに「どうせ、俺なんて成績が悪いし」「どうせ、私なんて美人じゃないし」といった「どうせ自分なんて」という言葉を口にする。しかし、もしも彼らが、自分はひとりしかいない、かけがえのない存在なんだと、自分を誇りに思えるようになれば、「どうせ自分なんて」という自ら人生をつまらなくするような言葉は口にしなくなるだろう。

そして、自分の存在を認められるようになれば、自然に、目の前にいる相手の「相手らしさ」も認めることができるようになるはずだ。自分も、たったひとりの自分であるように、この人も、たったひとりしかいない、大切な存在なんだと。

障害者が暮らしやすいバリアフリー社会を創るためだけではない。すべての人が、与えられた命を無駄にすることなく、その命を最大限に活かして生きていくためにも、自分らしさを見失わず、自分に誇りを持って生きていくことを望みたい。

そしてボク自身、「心のバリアフリー」に少しでも貢献していくことで、自分に誇りを持って生きていけるようになりたいと願っている。

あとがき

——五体満足でさえいてくれれば、どんな子でもいい——

これから生まれてくる子どもに対して、親が馳せる想いはさまざまだろうが、最低限の条件として、右のような言葉をよく耳にする。

だが、ボクは、五体不満足な子として生まれた。不満足どころか、五体のうち四体までがない。そう考えると、ボクは最低条件すら満たすことのできなかった、親不孝な息子ということになる。

だが、その見方も正しくはないようだ。両親は、ボクが障害者として生まれたことで、嘆き悲しむようなこともなかったし、どんな子を育てるにしても苦労はつきものと、意にも介さない様子だった。何より、ボク自身が毎日の生活を楽しんでいる。多くの友人に囲まれ、車椅子とともに飛び歩く今の生活に、何ひとつ不満はない。

胎児診断、もしくは出生前診断と呼ばれるものがある。文字通り、母親の胎内にいる

子どもの検査をするというものだが、この時、子どもに障害があると分かると、ほとん

どの場合が中絶を希望するという。

ある意味、仕方のないことなのかもしれない。障害者とほとんど接点を持たずに過ご

してきた人が、突然、「あなたのお子さんは、障害者です」という宣告を受けたら、やは

り育てていく勇気や自信はないだろう。ボクの母も、「もし、私も胎児診断を受けていて、

自分のお腹のなかにいる子に手も足もないということが分かったら、正直に言って、あな

たを産んでいたかどうか自信がない」という。

だからこそ、声を大にして言いたい。「障害を持っていても、ボクは毎日が楽しいよ」。

健常者として生まれても、ふさぎこんだ暗い人生を送る人もいる。そうかと思えば、手

も足もないのに、毎日、ノー天気に生きている人間もいる。関係ないのだ、障害なんて。

そうしたメッセージを伝えるためにも、この本のタイトルをあえて『五体不満足』とい

う、少々、ショッキングなものとした。五体が満足だろうと不満足だろうと、幸せな人生

を送るには関係ない。そのことを伝えたかった。身体に障害をお持ちの方で、この『五

体不満足』というタイトルを見て、不快に感じた方もいらっしゃるかもしれない。だが、

そうしたボクの意図に、理解を示していただければありがたい。

「障害は不便である。しかし、不幸ではない」

ヘレン・ケラー

　最後に、この本を刊行するにあたってご尽力いただいた、講談社の小沢一郎氏に心から感謝の気持ちを記したい。

1998年　初秋

乙武　洋匡

乙武洋匡　おとたけ・ひろただ
昭和51年、東京都生まれ。
世田谷区立用賀小、用賀中、都立戸山高を
経て、早稲田大学政経学部在学中。
先天性四肢切断という障害を、単なる
「身体的特徴」と考えて、「自分にしか
できないこと」＝「心のバリアフリー」
に少しでも貢献するため、電動車椅子に
のって全国を飛び歩いています。

写真…………管洋志
ブックデザイン…………日下潤一＋大野リサ

ごたいふまんぞく
五体不満足

1998年10月20日　第1刷発行
1999年3月24日　第23刷発行

おとたけひろただ
著者——**乙武洋匡**

ⒸHirotada Ototake　1998 , Printed in Japan

発行者——**野間佐和子**

発行所——**株式会社講談社**

東京都文京区音羽2-12-21　郵便番号112-8001

☎ 東京　03-5395-3522（出版部）
　　　　03-5395-3622（販売部）
　　　　03-5395-3615（製作部）

印刷所——**大日本印刷株式会社**

製本所——**黒柳製本株式会社**

定価はカバーに表示してあります。

ISBN4-06-209154-2　（学2）　　N.D.C.914　271p　20cm